VAGUES
ET REMOUS

Catherine LINDEN

VAGUES ET REMOUS

(Wakefield's Passion)

Roman traduit de l'anglais
par René de CECCATTY
et adapté par l'éditeur

EDITIONS MONDIALES
2, rue des Italiens — PARIS-9e

ISBN N° 2-7074-2432-3

CHAPITRE PREMIER

Monica Nelson était en train de décorer sa vitrine avec quelques objets en porcelaine de Dresde, dans son magasin d'antiquités, quand un taxi se gara devant la porte : un homme aux cheveux blonds sortit précipitamment de la voiture et, essayant d'échapper aux trombes de pluie, entra dans la boutique.

Monica rayonna quand elle se rendit compte qu'il s'agissait de Tom Lindquist, le principal acheteur européen envoyé par la société *Wakefield et Wyatt*, spécialisée dans les objets anciens aux Etats-Unis. Monica accourut vers l'entrée et accueillit le jeune homme, avec un large sourire :

— Tom ! Quelle merveilleuse surprise ! Je ne t'attendais pas avant un mois. Qu'est-ce qui te ramène à Londres si tôt ?

Tout en ôtant son imperméable trempé, il l'embrassa chaleureusement.

— Disons que je suis ici pour une affaire particulière, répondit-il vaguement, en admirant son amie à la silhouette élégante, au visage ovale, aux grands yeux marron. Tu sembles en grande forme ! ajouta-t-il. Comme toujours d'ailleurs... Monica, tu es beaucoup trop séduisante pour passer ta vie dans une arrière-boutique poussiéreuse !

Monica rougit légèrement sous le regard franc de Tom. Elle le connaissait depuis trois ans. Elle l'avait rencontré, au cours d'une vente aux enchères à Londres, alors qu'ils se disputaient, tous les deux, une desserte du XVIIIe siècle. C'est lui qui l'emporta, et elle alla le féliciter : il l'invita à déjeuner, et c'est ainsi que commença leur amitié. Dès lors, il n'avait jamais manqué de lui rendre visite, au cours de ses nombreux voyages en Europe : il lui achetait des objets de temps à autre.

— Installe-toi, lui dit-elle, en l'entraînant dans l'arrière-boutique. Pendant que je prépare un thé, tu vas me donner des nouvelles des Etats-Unis.

Tom l'observa tandis qu'elle s'activait près du réchaud : comment réagirait-elle à la proposition qu'il se disposait à lui faire ? Il ne faisait aucun doute pour lui qu'elle possédait la compétence requise, et depuis la mort de son père, plus aucun lien familial ne la retenait en Angleterre.

— Nous cherchons un responsable pour notre galerie anglaise, avança-t-il avec naturel, tandis qu'elle lui offrait une tasse et un assortiment de biscuits. Ralph Carstairs, le précédent directeur, a démissionné le mois dernier pour un autre poste.

Il but une gorgée de thé et continua :

— Comme tu le sais, nous travaillons dans un domaine très spécialisé, et il n'est pas facile de trouver la personne adéquate.

— Vous avez quelqu'un en vue ? demanda-t-elle, en toute innocence.

— Oui, répondit-il en réprimant un sourire. Quelqu'un de très valable.

— Ah oui ? Je connais cette personne ?

Il vint vers elle et lui prit la main.

— C'est à toi que j'offre le poste, Monica.

Elle le regarda avec ébahissement : la proposition lui paraissait stupéfiante.

— A moi ! s'écria-t-elle. Tu... tu plaisantes sûrement !

— Je suis tout à fait sérieux ! protesta-t-il en serrant ses mains. Tu conviendrais parfaitement pour ce travail, Monica. Tu as toutes les qualifications nécessaires. Et tu m'as appris, lors de ma dernière visite, que ton contrat de location de la boutique s'achevait début juin...

— Mais, dit-elle en secouant la tête, j'avais l'intention de le renouveler ! Je n'ai aucune envie de laisser le magasin, Tom.

— Je comprends très bien, et tu as fait un travail merveilleux pour reprendre l'affaire après la mort de ton père. Mais est-ce que tu n'as pas envie d'essayer quelque chose de différent ? Tu m'as confié, une fois, que tu aimerais bien voyager un peu. Eh bien, saisis l'occasion ! D'ailleurs, c'est une circonstance inespérée, et de plus, *Wakefield et Wyatt* est situé dans une région merveilleuse, dans la baie de Cap Cod. C'est un lieu de villégiature très agréable où tu te plairais certainement.

Monica s'enfonça dans son fauteuil, l'air soucieux. C'était tellement inattendu ! Elle n'avait pas une seule fois imaginé qu'elle pourrait renoncer à son magasin. C'était devenu toute sa vie ! Même pendant son enfance, elle avait aidé son père pour les week-ends : elle y prenait un immense plaisir. Evidemment, elle avait parfois été un peu déprimée, surtout ces derniers temps, car elle se rendait compte qu'elle consacrait la totalité de sa vie à sa profession et qu'il lui restait peu d'occasions de penser à elle-même. Mais elle n'avait jamais envisagé de s'installer à l'étranger ni de chercher ailleurs un autre travail. Cette idée lui paraissait tout à fait saugrenue.

— En quoi consisterait ce nouveau poste ? demanda-t-elle précautionneusement.

Encouragé par cette légère manifestation d'intérêt, Tom s'expliqua. La première qualification exigée était une parfaite connaissance des antiquités britanniques, ensuite, une solide expérience commerciale, avoir des contacts en Angleterre, et une certaine familiarité du système douanier anglais ; enfin, et ce n'était pas le moins important, une grande facilité de rapport avec la clientèle.

Monica essayait de se mesurer intérieurement à ces impératifs. Elle supposait qu'elle était dotée des qualifications fondamentales de son métier. Les nouveaux aspects qu'elle devrait affronter ne seraient pas difficiles à apprendre. L'offre était tentante !

Mais elle fut saisie d'un doute.

— Ne serai-je pas trop jeune pour ce travail ?

Tom écarta cette objection :

— Peu importe l'âge ! Je ne t'offrirais pas ce travail, si je ne t'en savais pas capable. Du reste, Brent Wakefield a bien insisté sur le fait que le candidat devrait avoir, pour son activité, l'enthousiasme de la jeunesse...

Monica soupira, en se mordillant la lèvre inférieure.

— Comment est-il, ce Brent Wakefield ? demanda-t-elle.

Pour la première fois, Tom chercha ses mots :

— Eh bien... euh... il est assez jeune, la trentaine environ... c'est un homme d'affaires émérite. Il sait ce qu'il veut et comment l'obtenir.

— Mais comment est-il, en tant qu'homme ?

Tom la regarda du coin de l'œil avec un sourire amusé.

— Les femmes le trouvent très séduisant.

— Et son associé, monsieur Wyatt ?

— Madame Wyatt, corrigea Tom. Henry Wyatt est mort il y a quelques années. L'actuelle madame Wyatt est beaucoup plus jeune que ne l'était son mari.

Monica essayait de rassembler ses idées de manière cohérente, mais elle eut un geste d'impuissance et haussa les épaules.

— Je ne peux vraiment prendre aucune décision

maintenant, Tom. Tu m'annonces cela sans détour, comme une invitation à déjeuner ! Mon avenir est en jeu. Je dois réfléchir.

Tom jeta un coup d'œil à sa montre et termina son thé.

— Je dois aller jusqu'à Oxford en voiture et je ne rentrerai que tard ce soir. Nous n'avons qu'à dîner ensemble demain, et tu me donneras alors ta réponse.

— Si vite ? demanda Monica, un peu effrayée.

— Je prends l'avion pour les Etats-Unis, vendredi.

Il se pencha vers elle et plongea ses yeux dans ceux de Monica.

— J'espère que tu décideras de faire, au moins, un essai, Monica. Tu as besoin d'un petit changement, pour de nombreuses raisons. Mais réfléchis tout à ton aise, ajouta-t-il en lui tapotant la main, et réponds-moi affirmativement demain soir. Pense que cela peut être le commencement d'une aventure passionnante !

Monica resta éveillée une bonne partie de la nuit suivante. Toutes ses pensées revenaient à cet avenir qui lui était proposé. « Pense que cela peut être le commencement d'une aventure passionnante ! » Cette déclaration enthousiaste de Tom la séduisait. Elle n'avait guère eu d'occasions dans sa vie de vivre une aventure : mais ce n'était pas faute d'y avoir rêvé !

Après la mort de sa mère, Monica et son père avaient été heureux de pouvoir travailler ensemble : ils avaient été récompensés par un succès honorable. Son père s'était enorgueilli de la manière dont il lui avait enseigné le commerce et lui avait laissé souvent entendre qu'elle avait joué une part active dans leur réussite. Il avait veillé à ce qu'elle eût une expérience dans tous les domaines de leur affaire.

Les deux dernières années, durant la maladie de son

père, Monica avait été pratiquement seule à diriger le magasin, à assister aux ventes aux enchères, à organiser les achats et les ventes.

Naturellement, sa vie privée en avait souffert. Maintenant qu'elle repassait en mémoire toutes ces dernières années et qu'elle songeait à son avenir avec inquiétude, Monica revoyait l'image de Gerald Rowland. Gerald, avec son élégance, son charme, son romantisme, lui avait d'abord semblé le compagnon idéal, mais au fur et à mesure que leur relation s'approfondissait, elle s'était rendu compte à quel point il était imbu de lui-même, égoïste, exagérément possessif et rancunier. Il n'avait pu supporter le fait que Monica consacrât autant de sa personne et de son temps à ses affaires, bien qu'elle lui expliquât que cette situation était exceptionnelle : son père était malade à ce moment-là. Gerald Rowland ne l'entendait pas de cette façon et ne fut pas du tout compréhensif.

Et pourtant, il y avait eu bien des fois où une présence à ses côtés eût été souhaitable...

Un nouveau départ : voilà peut-être la stimulation dont elle avait besoin. Les yeux grands ouverts dans le noir, elle se représentait ce qui pouvait l'attendre : un pays différent, de nouveaux visages, de nouvelles occasions de se faire des amis et un travail satisfaisant, enrichissant...

Elle commençait à se prendre à ce jeu, à cette excitation. On lui offrait là une chance extraordinaire. Et puisque Tom lui assurait qu'elle serait capable de s'en sortir, Monica décida qu'elle accepterait ce travail !

Le lendemain soir, à dîner, quand elle donna sa réponse à Tom, il fut ravi quoique surpris : il connaissait l'attachement que Monica vouait à son magasin.

— Tu ne le regretteras jamais, Monica, affirma-t-il en lui souriant.

— J'espère sincèrement que tu ne te trompes pas !
répliqua-t-elle.

Un peu plus de deux mois plus tard, Monica descendait du Boeing 747, à l'aéroport de Logan et faisait ses premiers pas sur le sol américain. Elle se sentait très nerveuse, mais Tom était venu l'accueillir et il la conduisit à un hôtel du Cap, où elle demeurerait jusqu'à ce qu'elle eût trouvé un logement à son goût.

Bien qu'on fût à la mi-juin, il faisait assez frais et le ciel était gris quand elle avait quitté Londres. Mais un soleil brûlant l'attendait aux Etats-Unis : quelque peu superstitieuse, Monica y vit un heureux présage.

Dès le premier week-end, Tom lui fit faire un peu de tourisme : il ne la laissa pas une minute seule, et elle n'eut pas le temps d'avoir le mal du pays ni de se demander si elle n'avait pas commis une erreur !

Le samedi soir, ils dînèrent dans un restaurant de fruits de mer, qui donnait sur la baie, et Monica goûta de la langouste pour la première fois de sa vie. Le lendemain, ils visitèrent une réplique du vaisseau *Mayflower*, qui avait amené les premiers immigrants aux Etats-Unis, plus de trois siècles auparavant.

Comme ils rentraient à son hôtel, ce soir-là, en voiture, Monica fit remarquer à Tom :

— Tu m'as fait passer un week-end merveilleux, Tom, mais il ne faut pas que tu te sentes obligé de me servir de chaperon continuellement ! Je ne veux pas te prendre tout ton temps.

Il parut surpris et ne put s'empêcher d'éclater de rire :

— Mais pourquoi donc ? Tu sais, cela me fait un immense plaisir !

Elle scruta, un moment, le visage de son voisin : Tom Lindquist approchait la quarantaine. C'était un homme

svelte qui avait un grand souci de sa ligne. Des cheveux
très blonds, des yeux bleus, et un visage aux traits réguliers ajoutaient à son charme. L'impression qui se déga-
geait de sa personne inspirait confiance : il incitait à
l'amitié.

Spontanément, Monica se pencha vers lui et lui serra
le bras chaleureusement.

— Tu es un ange ! Et je veux vraiment te remercier
pour ta gentillesse avec moi... ta compréhension...

Il posa aussitôt sa main sur celle de Monica et la
regarda avec une grande tendresse. Tom se sentait
attiré par Monica Nelson, depuis le jour de leur rencontre, lors de cette vente aux enchères. Mais les deux
échecs successifs de ses mariages avaient fini par le
décourager à nouer de nouveaux liens passionnels, particulièrement avec une jeune femme de quinze ans sa
cadette !...

Il n'avait donc pas voulu transformer le ton de leur
amitié : il laissait le temps décider pour eux de la profon-
deur de leur relation. Il était certain que Monica ne le
soupçonnait pas d'avoir à son égard, ce genre de sentiments, et il souhaitait qu'elle l'ignorât pendant quelque
temps encore...

Monica s'était montrée gaie et en pleine forme, pendant tout le week-end, mais comme ils approchaient de
l'hôtel, le visage de Monica s'assombrit soudain.

— Eh bien, les vacances sont terminées, dit-elle simplement. Demain, le travail commence.

Elle hésita et ajouta à mi-voix :

— Est-ce que monsieur Wakefield est un patron difficile ?

— Je ne sais comment dire, répliqua Tom, pris de
court. Disons que Brent aime que le travail marche
comme une machine bien huilée.

— Une machine ? s'écria Monica, interloquée.

Tom se maudit intérieurement d'avoir parlé aussi hâtivement.

— Du calme ! fit-il. Tout ira à merveille. J'ai la plus grande confiance dans tes capacités. Et n'oublie pas, je joue mon poste, moi aussi...

— Oh Tom ! s'écria Monica, alarmée par le sort qui leur était réservé. Je ferai de mon mieux ! J'essaierai de ne pas...

— Je le sais. Je ne me fais aucun souci !

Il fut soudain très ému par l'accent de sincérité qui teintait la voix douce de Monica, et il fut tenté de l'embrasser... Mais il se reprit : l'heure n'était pas encore venue de révéler ses sentiments.

— Je viendrai te prendre en voiture à huit heures demain matin, dit-il. Et nous célébrerons l'événement plus tard avec un déjeuner au champagne. Qu'est-ce que tu en dis ?

— C'est une idée formidable ! s'écria-t-elle avec un sourire qu'elle essaya de rendre le plus confiant possible.

— Parfait ! Maintenant, monte dans ta chambre et dors bien, et à demain ! Et surtout, Monica, ne t'inquiète pas.

Seule dans sa chambre, Monica fut envahie par une terrible appréhension. « Ai-je bien eu raison de venir jusqu'ici ? se demanda-t-elle avec angoisse. Mais Tom est si gentil... et je ne dois pas le décevoir » se raisonna-t-elle.

Tous les employés étaient rassemblés pour accueillir la nouvelle venue, quand Tom escorta Monica dans les couloirs de la galerie, le lendemain matin. Brent Wakefield était le seul à n'être pas encore apparu.

La grande salle de réception, tapissée de bleu et d'or, était somptueuse : elle était meublée avec des pièces de musée de l'époque Louis XVI. Monica remarqua tout de suite une fabuleuse console d'ébène marquetée, et une magnifique horloge au boîtier veiné de bois satiné des Indes et aux aiguilles de bronze sculpté. Une ravissante secrétaire blonde était assise à un bureau et l'observait avec un grand intérêt qui ne semblait pas seulement commandé par la curiosité.

Elle se rendit compte alors de la présence des autres occupants de la pièce, et les objets anciens extraordinairement précieux furent soudain éclipsés par la surprise qui se lisait dans les yeux des employés.

Tom fit les présentations. Paul Gauthier, le directeur de la galerie française, fit un pas galant vers Monica et baisa sa main, en murmurant :

— Charmé ! Un peu surpris, mais tout à fait charmé.

Il la considérait avec un regard enflammé, mais connaisseur : il semblait être plus que satisfait à la vue de la jeune fille. Il était d'une stature moyenne et habillé de manière impeccable. Il se déplaçait avec des mouvements de danseur. L'insistance de son regard agaça Monica. Elle était bien plus troublée qu'apaisée par ses compliments.

Son malaise fut encore accentué quand on lui présenta Rose Cardiff, une femme d'une quarantaine d'années, aux cheveux d'argent, chargée des antiquités américaines.

— Tom, vieux renard ! cette fois, vous vous êtes surpassé !

Elle ajouta, à l'intention de Monica :

— Tom adore nous prendre au dépourvu. Il trouve toujours matière à nous étonner quand on s'y attend le moins !

Plus déconcertée que jamais, Monica hocha cependant la tête et essaya de sourire : mais elle sentait que son expression se figeait. Elle vit défiler devant elle les autres employés : Enid et Debbie, les secrétaires, Joe et

Glen du magasin de réserve, Gloria, la ravissante réceptionniste, et Han Nepo, qui n'était que de passage sur la côte Est et qui travaillait au département des arts d'Orient de Los Angeles.

Nepo s'inclina et, prenant Monica par le bras, la conduisit vers une table où l'attendait un petit déjeuner. Monica accepta une tasse de café et un morceau de biscuit danois.

Les autres employés s'étaient montrés chaleureux et accueillants, mais il était évident qu'ils s'attendaient à voir quelqu'un d'absolument différent.

Monica tournait le dos à la porte, quand elle entendit la voix de Tom :

— Brent ! Je finissais par croire que tu ne viendrais pas ! Viens que je te présente notre nouvelle collègue.

Monica se raidit légèrement et se retourna lentement, la tasse à la main. Elle regarda à l'autre bout de la pièce, et vit un homme grand, au visage hâlé, qui se tenait à l'entrée.

Leurs yeux se fixèrent un moment : cet homme la jugeait froidement. Il traversa enfin la pièce et s'arrêta près d'elle. Il avait les yeux les plus bleus que Monica eût jamais vus : « Le bleu glacé du reflet d'un rayon de soleil sur un iceberg » se dit-elle faiblement. Cette pensée fut aussitôt suivie d'une autre, aussi impérieuse : « Il semblait ne pas apprécier la personne qu'il avait devant lui ! »

CHAPITRE II

— C'est une plaisanterie ou quoi, Tom ? Tu as perdu la tête !

Le ton était dur, et Brent Wakefield dirigeait toute sa colère sur Tom.

— Ne t'énerve pas, coupa Tom, sans s'emporter. Monica peut paraître jeune et inexpérimentée, mais je peux te garantir qu'elle connaît son affaire sur le bout des ongles. Donne-lui au moins une chance de faire ses preuves, et je pense que tu n'auras pas lieu de te plaindre.

Wakefield grommela quelque chose que Monica ne put saisir et ajouta plus distinctement :

— ... Mais c'est une enfant... Elle est tout juste sortie du lycée ! Est-ce que tu t'imagines, par hasard, que je vais lui confier la charge de la galerie anglaise ? Pense un peu à l'effet qu'elle fera sur les clients...

Monica se trouvait dans une situation embarrassante ; elle détourna le regard de la porte entrouverte du bureau, quand Tom répondit d'une voix impatiente :

— C'est toi-même qui m'as demandé instamment de trouver quelqu'un de jeune et avenant...

Un rire glacial lui coupa la parole.

— Oui, mais pas une enfant ! Sois honnête, Tom ! ajouta-t-il sur un ton moqueur. Apparemment, son charme a été ravageur pour que tu aies perdu tout bon sens !

— Ecoute, Brent...

Mais Monica ne put pas entendre la suite. Elle se
précipita dans le couloir, et quand elle fut à l'autre bout,
s'appuya contre le mur. Elle était écrasée par une sensation atroce de déception : elle allait se laisser abattre,
quand elle se reprit soudain, en songeant aux moqueries
de Brent. La colère l'envahit alors.

« Je n'aurais pas dû venir, pensa amèrement Monica.
J'aurais dû réfléchir davantage. Maintenant, j'ai mis ce
pauvre Tom dans de beaux draps... »

Dès la fin du petit déjeuner, Tom avait dû s'absenter
pour un rendez-vous dans un autre quartier de la ville,
et Wakefield s'était retiré dans son bureau personnel, à
l'autre bout de l'immeuble. Rose Cardiff avait été chargée de faire visiter les bureaux à Monique : elle avait
pris tout son temps, en bavardant de manière franche et
décontractée.

— Je vous en prie, ma petite, ne vous laissez pas
impressionner par Brent, l'avait-elle avertie pour rassurer Monica, dont le visage était encore tout bouleversé.
Il sait être absolument insupportable, si on le laisse
faire. Le tout est de bien lui montrer qu'il a affaire à
aussi têtu que lui.

— J'ai vraiment eu l'impression que je ne lui plai-
sais pas, avoua Monica, presque contre son gré, et agacée par le tremblement de sa voix.

— Celle à qui vous n'allez pas plaire du tout, dit
Rose en riant, c'est Nathalie Wyatt ! Quant à Brent, il
reviendra sur son idée si vous faites correctement votre
travail et que vous correspondez au portrait que Tom a
fait de vous. Il n'y a qu'une chose qui compte aux yeux
de Brent : l'efficacité ! Alors, attention !

— Je ferai de mon mieux pour satisfaire les exigences de monsieur Wakefield, répliqua Monica, avec un air
décidé dont elle ne fut pas consciente.

— Bravo, ma petite ! dit Rose, en lui tapotant la

main et en souriant. Je suis certaine que tout marchera
à merveille !

La galerie anglaise était une pièce très vaste, où
étaient exposés des meubles anciens, tout à fait familiers à Monica. Pour la première fois depuis son arrivée,
elle eut un serrement au cœur quand elle reconnut un ou
deux objets qui avaient été fournis par son magasin.
Cette vue lui rappela, avec une troublante nostalgie, le
pays dont elle s'était maintenant tant éloignée...

Elle se rappelait avec netteté le jour où son père
avait trouvé le buffet en bois de rose dans le Kent, lors
d'un de ses derniers voyages de prospection : cette trouvaille l'avait tellement réjoui ! « Voilà le genre de pièce
qui va envoûter Tom Lindquist ! Mieux vaut le lui réserver, avant de le mettre à la vente ! » s'était-il écrié.

Elle reconnut également le guéridon qu'elle avait
déniché à Glasgow, l'ensemble de douze fauteuils Wind-
sor, la coiffeuse en bois de rose...

Mais Rose Cardiff ne laissa pas à Monica le temps de
s'attendrir sur le passé. Elle la conduisit à un bureau et
ouvrit, devant elle, un épais livre de commandes.

— La plupart de nos objets et meubles anglais vont
vers le sud et la côte ouest, expliqua-t-elle, en feuilletant
le cahier. Nous avons cependant quelques clients importants dans l'est, et depuis que Brent a repris l'affaire,
les commandes sont de plus en plus nombreuses.

— Depuis quand monsieur Wakefield dirige-t-il la
société ?

— Depuis la mort de son père, il y a trois ans. Mais il
avait commencé à travailler ici, un an plus tôt.

Rose Cardiff s'appuya sur le bureau, et son regard
s'adoucit tandis qu'elle poursuivait :

— Charlie Wakefield, le père de Brent, était vraiment l'homme le plus sympathique qu'on puisse imaginer. Tout le monde l'adorait... Il avait une espèce de
magnétisme... Et c'était un homme d'affaires fantasti-

que ! Il aimait vraiment les gens qu'il rencontrait ; sa...
disparition a été cruellement ressentie ici, ajouta-t-elle
avec un tremblement dans la voix.

— Et monsieur Wyatt ? demanda doucement
Monica.

Rose se raidit et ferma le cahier sur le bureau.

— Les Wyatt sont une vieille famille du Cap,
répondit-elle avec un sourire pincé. Comme on dit dans
la région, ils doivent remonter aux premiers émigrants
du *Mayflower*. Charlie et Henry étaient des amis
d'enfance. Ils ont monté l'affaire ensemble, il y a une
trentaine d'années, et malgré la différence de leurs tem-
péraments, leur coopération a été fructueuse. Charlie
était celui qui prenait des contacts, le vendeur, l'homme
du front, si vous préférez. C'est lui qui s'y connaissait le
mieux en antiquités. Henry était un homme calme et
conservateur, mais un excellent homme d'affaires. Et
au début, du reste, c'est grâce à l'argent des Wyatt que
tout a pu commencer. Il est mort, il y a six ans, dans un
accident aérien.

— Et c'est maintenant sa veuve qui l'a remplacée
dans les affaires ?

Il s'installa alors un long silence, qui parut très
pesant à Monica. Rose s'était à demi détournée en fronçant les sourcils ; et puis soudain elle éclata de rire en
renversant la tête.

— Oh ! après tout, pourquoi ne pas tout vous raconter sur Nathalie ?... Vous le saurez rapidement de toute
façon...

Monica était à la fois intriguée et inquiète. Rose
s'approcha d'un secrétaire, où elle saisit une statuette
de porcelaine de Dresde et commença à parler sans se
retourner :

— Henry Wyatt était un homme prudent, précau-
tionneux, durant toute sa vie. Comme je vous l'ai déjà
dit, il avait un caractère conservateur : il ne fit jamais

aucun écart... sauf une fois. C'était à l'âge de soixante ans. Il avait perdu sa femme dix ans plus tôt et il a rencontré Nathalie qui avait trente ans de moins que lui. Et il l'a épousée !

Monica se sentait gênée : elle n'aimait pas apprendre ainsi la vie privée de ses employeurs si ouvertement et d'une collègue qu'elle connaissait encore mal.

Rose soupira et jeta un coup d'œil à sa montre.

— Enfin, je suppose que tout le monde a le droit de se tromper au moins une fois dans sa vie, fit-elle remarquer. Allons, c'est presque l'heure de déjeuner. Je vais vous inviter à goûter les mets exquis de notre traiteur local...

Monica expliqua qu'elle avait prévu de déjeuner avec Tom, et Rose lui indiqua la direction de son bureau. Elle s'y rendit, mais apprit de son assistante que Tom était absent.

— Vous le trouverez dans le bureau de Brent Wakefield, l'informa la secrétaire.

Elle lui expliqua comment s'y rendre, en ajoutant :

— Tom m'a demandé de vous y envoyer.

Comme elle atteignait le bureau du directeur, Monica entendit des voix d'homme qui se disputaient. Et, sans le vouloir, elle comprit que c'était elle, leur sujet de discorde !

Soudain la porte s'ouvrit et les deux hommes apparurent devant Monica. Ils étaient stupéfaits de se trouver face à elle.

Tom rougit, et, avec embarras, commença sur un ton désolé :

— Monica... je...

— Je suppose que vous nous avez entendus, coupa brutalement Brent. Je suis désolé.

Il avait du moins la délicatesse de s'excuser. Mais il revint dans son bureau et garda la porte ouverte, en lui faisant signe d'entrer :

— Je voudrais m'entretenir avec vous, Monica, dit-il sur un ton aimable mais ferme.

Elle avait bien envie de l'envoyer au diable et de lui faire comprendre qu'elle se souciait bien peu de ce qu'il pensait d'elle et que le travail qu'il lui offrait n'était pas le plus précieux au monde ; mais elle aperçut l'air désolé de Tom et elle ravala sa colère. La violence de sa réaction ne ferait que conforter Brent Wakefield dans la mauvaise opinion qu'il s'était faite d'elle.

Elle se contenta de hocher la tête et se dirigea vers lui, prête à répondre à l'attaque. Mais il lui fut très difficile de conserver cette attitude : Brent Wakefield se tenait debout, mains croisés dans le dos, et regardait Monica de son regard d'acier. Elle ne put s'empêcher de frémir. Et, tout à coup, elle se rappela l'avertissement de Rose Cardiff : elle leva alors fièrement le menton, en se disant : « Si tu crois me faire peur, petit matamore ! »

Brent invita Monica et Tom à s'asseoir, puis lui-même s'enfonça dans un fauteuil, face à eux. Monica dévisagea Brent Wakefield avec une insistance qu'elle ne s'était pas permise au petit déjeuner. Elle avait redouté son jugement, mais maintenant elle ne s'en préoccupait plus.

Le visage de Wakefield avait la noblesse et la race des statues romaines ; un nez aquilin, une bouche ourlée et sensuelle, un menton carré et décidé, avec une petite fossette. Ses cheveux châtain clair tombaient légèrement sur sa nuque. Monica devait bien l'admettre : c'était un homme à la beauté virile et attirante. Ses yeux auraient été son meilleur atout, s'ils n'avaient pas eu cette froideur.

Soudain, Wakefield sourit à Tom et à Monica : ses dents étincelaient entre ses lèvres brillantes.

— Eh bien, commença-t-il, est-ce que je corresponds suffisamment à votre image du parfait monstre ?

Monica rougit, avec l'impression d'être une enfant

prise en faute. Elle essaya d'ignorer cette ironie et répliqua :

— Vous vouliez me parler, monsieur Wakefield ?

— Appelez-moi Brent, dit-il, avec un sourire.

Il était manifestement très heureux de son désarroi. Il était habitué à être admiré par des femmes, mais l'insistance du regard de Monica avait une expression qui le troublait. Il avait le sentiment d'être un insecte examiné au microscope.

Il frappa légèrement sur son bureau avec les paumes de ses mains, et eut la satisfaction de la faire sursauter.

— Parfait ! dit-il, voilà comment je vois les choses : vous êtes beaucoup trop jeune pour ce travail-là. Il m'est très difficile d'imaginer quelqu'un de votre âge avec l'expérience requise, malgré les protestations de Tom. En second lieu, et c'est très important, je doute que la plupart de mes meilleurs clients — et par là, j'entends ceux qui dépensent plus de cent mille dollars par an, pour notre compagnie — se laisseraient convaincre par les arguments d'une jeune fille de vingt-quatre ans !

» Croyez bien, ajouta-t-il, sans cesser de sourire de manière enjôleuse, que je n'ai rien contre vous en particulier. Je suis certain que vous êtes très intelligente, très compétente, et sans doute au-dessus de la moyenne. Je ne parle que des problèmes que présente votre emploi dans ce travail spécifique.

Un lourd silence s'installa à la suite de ces paroles acerbes. Tom Lindquist était plongé dans de profondes pensées ; Monica ne savait plus que faire.

— Quoi qu'il en soit, conclut pensivement Wakefield, si vous désirez continuer à vivre aux Etats-Unis, je pourrai vous trouver un autre poste dans notre compagnie, comme assistante du directeur de la galerie anglaise, par exemple...

Monica était outrée : elle laissa, involontairement,

échapper un petit cri. Rose Cardiff avait donc raison ! pensa-t-elle avec fureur. Cet homme était insupportable ! Quelle condescendance !

— Non merci ! lâcha-t-elle, en se relevant brusquement et en abandonnant toute retenue. Je n'ai nullement l'intention d'être assistante d'un directeur ! On m'a engagée comme responsable de la galerie anglaise, et je ne vois pas pourquoi j'accepterais un poste subalterne, sans que mes capacités aient été considérées. J'ai parfaitement les compétences requises. Et... je ne postule aucun autre emploi ! ajouta-t-elle, rouge d'indignation.

— Monica ! protesta Tom, épouvanté par une attitude dont il ne la pensait pas capable.

Brent Wakefield se contenta d'éclater de rire, comme s'il ne s'agissait que d'une plaisanterie. Cette réaction à laquelle Monica ne s'attendait pas du tout, la mit hors d'elle.

— En réalité, cher monsieur Wakefield, riposta-t-elle, d'une voix coupante, je suppose que j'ai beaucoup plus d'expérience dans le domaine des antiquités que vous ! Et qui sait, vous avez peut-être une ou deux choses à apprendre de moi !

Monica saisit son sac, fit volte-face et sortit en claquant la porte derrière elle. Elle traversa le splendide vestibule où des socles mettaient en valeur des objets précieux, à intervalles réguliers : statues, vases... Mais bientôt les larmes l'aveuglèrent. Elle avait encore devant elle le visage méprisant de Brent Wakefield ! Oh ! si seulement il n'avait pas souri à ce moment-là... Elle était envahie par un sentiment de dégoût à l'égard de son propre comportement infantile !

— Monica... Je t'en prie, attends une minute ! appela Tom.

Elle se laissa fléchir ; elle avait complètement oublié

la présence de Tom. Après tout, il était intéressé au premier chef dans cette querelle.

A contrecœur, Monica se retourna : elle vit les deux hommes dans l'encadrement de la porte. Tom regardait vers elle, mais Brent lui toucha le bras et murmura quelque chose comme : « Laisse-moi m'en occuper. »

Wakefield la rejoignit, à grands pas, l'air menaçant. Monica avait l'impression d'être un oiseau pris au piège, elle se détourna instinctivement et, dans sa précipitation, heurta un socle d'où s'écroula un vase de Chine qui se brisa à terre sous ses yeux horrifiés.

Monica était pétrifiée tandis que Tom s'agenouillait pour examiner les morceaux. Il regarda Monica et Brent, d'un air affligé.

— Irréparable ! fit-il, désolé.

Wakefield lança un regard haineux à Monica. Il commenta d'une voix presque atone :

— Chekiang, période des Song du sud, vers 1130. Probablement un des seuls exemplaires qui restaient au monde !

Monica était sur le point de s'évanouir. Sa vue se troubla. Tout se perdait dans un brouillard. Elle aurait voulu disparaître sous terre. Elle allait s'effondrer, quand elle sentit des bras puissants la retenir et une poitrine se presser contre elle.

Quand elle reprit connaissance, Monica était assise dans un fauteuil du bureau de Brent, un verre de vin contre ses lèvres. Elle avala comme un automate.

— Continuez ! ordonna Brent, en plaçant à nouveau le verre contre ses lèvres.

Monica leva lentement les yeux vers son visage et frissonna quand leurs regards se croisèrent.

— Tom, appela-t-elle faiblement, sentant qu'elle allait à nouveau sombrer dans l'inconscience.

Tom fut aussitôt à ses côtés. Il posa les mains sur ses épaules pour la rassurer.

— Ecoute, Brent... commença-t-il.

— Non, je t'en prie, coupa-t-elle, Tom, laisse-moi...
C'est entièrement ma faute, et je suis... affreusement
désolée.

Elle reprit profondément sa respiration et s'obligea à
continuer :

— Je sais que je ne peux rien faire pour remplacer ce
vase, mais... je paierai les dommages.

Wakefield avait repris sa place derrière le bureau.
Monica voulut s'adresser directement à lui.

— Quelle était la valeur du vase, monsieur Wakefield ?

Il eut une moue insolente.

— A première vue, vingt ou trente mille dollars aux
enchères.

— Pas plus de quinze, protesta Tom. Tu as oublié la
fêlure ! Pas un centime de plus, Wakefield, tu le sais parfaitement !

— Ridicule ! répliqua Brent, sur un ton de concilia-
tion ironique qui glaça Monica. Va pour quinze, si ça te
chante. On ne va pas chicaner entre amis, ajouta-t-il en
regardant Monica.

Les pensées se bousculaient dans la tête de Monica.
Quinze mille dollars ! A vrai dire, les dommages et inté-
rêts auraient bien pu aller jusqu'à cinquante mille !
Mais son compte en banque n'offrait pas plus du tiers
de cette somme.

Walter Nelson n'avait jamais eu de fortune. Les ventes de leur boutique leur permettaient de vivre conforta-
blement sans plus. Elles avaient tout juste suffi à payer
les soins médicaux de Walter et à assurer une vie agréable durant ses dernières années.

Brent Wakefield l'observait, en fronçant ses épais
sourcils : il attendait qu'elle dît quelque chose, mais
c'était au-dessus des forces de Monica !

— Cela suffit comme ça ! lâcha Tom Lindquist, en

lançant un regard hostile à son employeur. Brent, j'aimerais te dire deux mots en particulier, si tu veux bien.

— Non, Tom ! supplia Monica, certaine qu'il allait prendre sa défense et s'exposer aux représailles de Brent. Je... j'ai une idée...

Elle essaya de rassembler ses esprits pour improviser une solution. Mais en vain !

— Je vous en prie, continuez ! commanda Brent, avec un geste d'impatience. J'ai un repas qui m'attend dans dix minutes.

— Il y a quelques instants, commença Monica faiblement, vous... vous avez suggéré la possibilité de m'employer comme assistante dans votre galerie anglaise...

— Et vous avez décliné mon offre, je m'en souviens parfaitement, dit-il avec un sourire narquois, les yeux brillants.

Monica ferma les yeux un moment, prête à oublier son amour-propre, dans le désir de redresser la situation.

— Ce que j'allais vous proposer, c'est de vous donner un chèque pour rembourser le vase en partie et de travailler pour rembourser le reste... si cela vous convient, acheva-t-elle dans un murmure.

Comme Wakefield ne répondait pas sur-le-champ, elle ajouta dans un dernier effort :

— Je vous prie de m'excuser pour... ma conduite désinvolte.

Tom ne pouvait supporter de voir l'expression de Monica et il détourna les yeux vers la fenêtre : il se demandait tout à coup s'il avait eu raison de l'amener aux Etats-Unis.

La détresse de Monica suscita également une certaine gêne en Brent. Il la regardait sous un autre angle : ne s'était-il pas trop précipité dans son jugement ?

Il se pencha par-dessus son bureau et dit avec douceur :

— Cela risque de vous prendre un certain temps, Monica. Des années, à vrai dire.

— Je le sais, dit-elle avec un haussement d'épaules.

— Eh bien, dit-il, si vous en êtes consciente...

— Ce dont je suis consciente, monsieur Wakefield, c'est que je ne serai pas apaisée tant que je ne vous aurai pas remboursé ma dette, répliqua-t-elle sur un ton de froideur inflexible, et avec une dureté inhabituelle dans ses yeux noirs.

Jamais, Brent n'avait été regardé de cette manière par une femme : il cilla légèrement, mais pour reprendre aussitôt son arrogance ordinaire. Après avoir retrouvé sa contenance provocante, il éclata de rire et claqua des mains.

— Bravo ! Bien dit ! On est en plein mélodrame ! Mais attendez que je réfléchisse un peu, ajouta-t-il en regardant en l'air pendant des secondes qui parurent un siècle à Monica.

Elle devait se retenir de ne pas bondir de son siège. Elle le détestait tellement qu'elle se sentait prête à exploser.

Il se raidit soudain dans son fauteuil et la fixa.

— Ma première proposition tient toujours, dit-il sur un ton dépourvu de toute hostilité. J'aimerais vous engager comme assistante dans la galerie anglaise, mais (il la regarda solennellement) vous ne me devez absolument rien. Ce qui s'est produit, il y a quelques instants, est un stupide accident, dont je suis en partie fautif, et j'espère que vous serez assez généreuse pour accepter mes excuses.

Monica le regarda avec stupéfaction, en se demandant si elle devait en croire ses oreilles. Il semblait véritablement confus !

Il soupira et sourit avec innocence.

— Je crains bien qu'il y ait eu simplement des malentendus entre nous, Monica. J'aimerais oublier tout cela et recommencer de zéro. Qu'en dites-vous ?

Elle était abasourdie par ce retournement de situation : fallait-il croire à la sincérité de cette attitude si étrangère au tempérament de Brent ? Mais Tom avait poussé un grand soupir de soulagement : il la regardait en souriant pour lui faire comprendre qu'elle devait accepter la proposition de Brent.

— Mais qu'allez-vous faire pour le vase ? demanda-t-elle, avec embarras.

— C'est ma faute, je vous l'ai dit, expliqua Brent, avec un geste d'impatience. Je vous en prie, oublions cela, ajouta-t-il, comme si la valeur de l'objet était sans importance.

Monica plissa les yeux : elle se rappelait seulement alors un détail qui, jusqu'ici, semblait lui avoir totalement échappé.

— Mais au fait... le vase doit être couvert par une assurance ?

Aussitôt, toute trace de chaleur humaine disparut du visage de Brent, qui lâcha sur un ton sec :

— Evidemment, il est assuré ! C'est bien pour cela que vous ne me devez rien et que vous êtes encore libre de décliner mon offre, si vous estimez qu'elle ne correspond pas à votre degré de qualification...

Les yeux de Monica eurent un éclat haineux. C'était décidément plus qu'elle ne pouvait tolérer ! Il verrait bien de quoi elle était capable ! Les mises à l'épreuve ne lui avaient jamais fait peur...

Elle s'assit pour essayer de rassembler ses pensées : elle était inquiète devant le visage tendu de Tom. Elle ne voulait surtout pas qu'il pâtit de sa conduite si elle refusait la proposition de Brent Wakefield.

Du reste, qu'aurait-elle pu faire ? Retourner à Londres ? Elle n'avait plus de boutique là-bas. Elle aurait dû chercher un autre emploi. Et peut-être ne trouverait-elle rien de meilleur.

Elle prit sa décision et soutint le regard de Brent.

— J'accepte votre offre, monsieur Wakefield, et je suis certaine que vous pouvez me faire confiance.

Il hocha la tête avec un léger sourire.

— Parfait. Eh bien, vous pouvez commencer votre travail tout de suite.

Tom l'invita à déjeuner comme prévu. Quand ils furent attablés, il essuya son visage avec un mouchoir.

— Nous avons frôlé le désastre, dit-il avec un sourire malheureux. Je me suis demandé si tu t'en sortirais vivante !...

— Je suis vraiment désolée. Je me suis emportée. Ce n'est pas tant la déception devant ce travail de subalterne, que la mise en cause de mes capacités par Wakefield ! J'ai horreur des gens qui croient pouvoir juger les autres au premier coup d'œil !

Tom l'interrogea du regard. Ce n'était pas la première fois qu'il voyait Brent faire des victimes par ses jugements à l'emporte-pièce. Mais il se serait attendu à plus de résistance de la part de Monica.

Pendant deux ans, il avait eu l'occasion d'apprécier la personnalité, le tempérament de Monica. Il avait admiré sa bonne humeur, même dans les moments difficiles. Il se rappelait encore son attitude sympathique, quand il avait remporté, aux enchères, l'objet qu'elle convoitait. Et pourtant, quelques mots de Brent avaient suffi pour l'ébranler ! Il la dévisagea curieusement.

Le garçon vint prendre la commande. Tom insista pour qu'elle prît un apéritif.

— Nous avons besoin d'un petit remontant, affirma Tom en souriant. Comment te sens-tu ?

— Mieux, merci, répondit-elle en humectant ses lèvres.

Elle commençait, en effet, à se calmer dans cet endroit paisible. Mais elle repensait avec effroi aux heures qu'elles venaient de passer.

— Bois ! conseilla Tom en servant Monica ; tu en as vraiment besoin.

— Comme tu dois regretter de m'avoir amenée ici ! dit Monica en poussant un soupir.

— Mais non, Monica, je n'ai aucun regret ! Evidemment, je n'avais pas prévu la réaction de Brent et la chute du vase n'a pas plaidé en ta faveur, mais, avec le temps, cela s'arrangera.

— Je me suis conduite comme une gamine, Tom ! Et je m'étonne moi-même de mon comportement...

— Mais enfin pourquoi as-tu eu peur ?

Elle hésita un moment, puis haussa les épaules.

— Je ne sais pas.

En vérité, elle ne comprenait pas ce qui s'était passé. Elle avait l'impression que depuis qu'elle avait aperçu Brent Wakefield dans la salle de réception, sa confiance en elle avait disparu.

— Il... il m'a effrayée, expliqua-t-elle. Je me suis rendu compte tout de suite que je ne lui inspirais pas confiance, que je ne serais pas à la hauteur de la tâche qui m'incombait...

— Mais au contraire, tu es exactement la personne dont il a besoin ! protesta Tom avec emphase. Il s'en apercevra tout de suite. Je suis d'ailleurs surpris qu'il ait vu, dans ton âge, un obstacle, alors que lui-même s'est mis à diriger la société très jeune... Il est têtu comme un âne, parfois ! Mais, il devra bien reconnaître son erreur un jour ou l'autre.

Monica eut un petit rire amer.

— Même s'il devait revenir sur son jugement, il n'admettrait pas s'être trompé !

— Tu te trompes. Il est le premier à reconnaître ses erreurs. Et il exige la même honnêteté des autres. Il est

parfois agaçant, mais c'est un homme très droit. Ces
dernières années n'ont pas été très faciles pour lui.

Le garçon commença à leur servir le repas. Mais
Monica ne faisait pas attention au délicieux plat de
fruits de mer qu'elle avait devant elle. L'explication de
Tom la rassurait en partie, mais elle avait perdu tout
appétit.

« Il va falloir l'affronter cet après-midi encore, »
pensait-elle, et son estomac se nouait. Elle avait
l'impression d'avoir été aspirée dans une tornade, et que
tout point d'appui lui était désormais retiré.

— Nourris-toi, petite, insista Tom. Et crois-moi,
quand je te dis que tout est en train de s'arranger. Je
sais de quoi je parle, parce que, d'une certaine manière,
Brent et toi, vous avez beaucoup de points communs.

Il avait fait cette remarque de façon absolument
spontanée mais, une fois qu'il eut prononcé ces mots, il
prit réellement conscience de son affirmation. Et
jusqu'à la fin du repas, ses paroles résonnèrent étrangement dans sa tête...

CHAPITRE III

Monica accueillit avec un sourire une dame d'un certain âge, très coquette dans son tailleur pied-de-poule, qui entrait dans la galerie et s'arrêta à l'autre bout de la pièce.

La plupart de la clientèle de *Wakefield et Wyatt* était constituée par des antiquaires de la Nouvelle-Angleterre, mais le public était également admis. Depuis le début de la semaine, Monica avait conquis bien des clients parmi les antiquaires, dont, certains, elle devait le reconnaître, n'étaient attirés que par la curiosité de cette nouvelle venue anglaise.

La cliente, qui venait d'entrer, était grande, et ses cheveux argentés délicatement relevés en un chignon sur la nuque accentuaient son charme.

Comme Monica s'approchait d'elle, la dame retira ses lunettes de soleil et examina Monica sans cacher son intérêt. Elle avait des yeux presque noirs.

— C'est donc vous, Monica Nelson ? demanda-t-elle, manifestement ravie, en scrutant Monica. J'ai pensé qu'il devait être temps de vous rendre visite. Je suis Sara Wakefield, la mère de Brent, précisa-t-elle en tendant la main.

— Oh... ! je suis très heureuse de vous rencontrer, madame Wakefield, balbutia Monica, sans pouvoir s'empêcher de rougir.

Brent avait-il décrit à sa mère leur première rencontre ? Il avait sans doute parlé du vase de Chine...

La ressemblance de la mère et du fils était frap-
pante : seule la couleur des yeux faisait la différence.
L'insistance du regard brillant de Mme Wakefield mettait mal à l'aise Monica, qui lui présenta, avec gêne, un
siège.

Heureusement, elle n'avait pas beaucoup vu Brent
durant la semaine. Il était parti en voyage d'affaires,
pour quelques jours, et, à son retour, l'attendaient de
nombreux rendez-vous avec des clients. Les rares fois
où ils s'étaient rencontrés, Monica et lui, Brent s'était
montré d'une grande courtoisie : il l'avait félicitée de la
facilité avec laquelle elle s'était mise à la tâche et de ses
premiers succès. Il lui avait demandé si elle avait trouvé
un logement. Comme ce n'était pas le cas, il lui avait
promis de l'aider.

Madame Wakefield offrit une cigarette à Monica,
qui refusa en souriant.

— Puis-je vous proposer du café ? demanda Monica.
J'en prends moi-même à cette heure, habituellement.

— Excellente idée ! Mais je pensais que vous
m'offririez du thé ! Vous êtes-vous déjà américanisée ?

— Oh ! j'ai toujours aimé le café ! avoua Monica, en
se dirigeant vers un guéridon où était installée une
bouilloire électrique et tout ce qui était nécessaire pour
faire rapidement du café.

— Alors, comment trouvez-vous notre pays ? ou plutôt notre région ?

— Je l'adore ! répliqua sincèrement Monica. Je ne
pensais pas que la Nouvelle-Angleterre eût tant de
charme.

Elle fit part de sa récente promenade le long de la
côte, près de Plymouth Rock, jusqu'à la reconstitution
du *Mayflower*.

— C'était vraiment une merveilleuse randonnée,

ajouta-t-elle, et j'avoue que j'ai hâte de découvrir Plymouth Plantation, pendant ce week-end. Tom Lindquist a promis de m'y conduire.

— Ah oui... ! Tom, un charmant garçon, murmura Mme Wakefield. Je crois savoir que vous vous connaissez depuis assez longtemps ?

Monica raconta les circonstances de leur rencontre, à la vente aux enchères, et puis les visites de Tom dans sa boutique londonienne.

Madame Wakefield hocha la tête pensivement.

— J'aime beaucoup Tom, moi aussi. C'est un homme sûr... tout à fait comme mon défunt mari... Charles était le même genre de personne : franc, sans complication, facile à vivre.

Monica dévisagea son interlocutrice : il y avait quelque chose qu'elle ne saisissait pas. Mais, Mme Wakefield sourit et changea aussitôt de sujet.

— Avez-vous trouvé un appartement ? demanda-t-elle.

— Pas encore, répondit Monica en soupirant. Les appartements libres sont rares ou alors très chers !

— En effet ! Les entrepreneurs, ici, n'ont pas la tâche aisée pour construire. La population n'a pas envie de voir pousser ces horreurs en béton ! On essaie de lutter pour l'environnement, mais bien sûr cela finit par poser des problèmes à ceux qui veulent se loger.

Elle écrasa sa cigarette dans un cendrier.

— Quand Brent m'a parlé de votre problème, hier soir, j'ai eu une idée.

Monica la regarda d'un air intrigué.

— Nous avons un petit pavillon dans notre propriété, poursuivit Mme Wakefield. On s'en servait jusqu'à ces dernières années, mais il est presque à l'abandon, maintenant ; ce qui est vraiment du gâchis ! Il contient une petite salle de séjour, une chambre, une salle de bains, et une minuscule cuisine. Il est entièrement meublé. Ce n'est pas le grand luxe, mais il a un certain charme rustique et il a plus de deux siècles d'âge ! J'ai pensé que cela ferait, peut-être, votre affaire...

Monica était trop surprise pour répondre. C'était très généreux de la part de Mme Wakefield, mais il y avait un problème : Monica voulait bien travailler avec Brent Wakefield, mais... vivre à côté de lui, c'était une autre « paire de manches ».

— En avez-vous parlé à votre fils ? demanda Monica en rougissant.

La gêne de Monica n'échappa point à Mme Wakefield qui déclara en riant :

— Ma petite fille, *Seacliff* est ma propriété personnelle, et je n'ai de compte à rendre à personne ! Mais, j'en ai tout de même glissé un mot à Brent.

— Et qu'a-t-il répondu ? demanda Monica sans pouvoir cacher son impatience.

Madame Wakefield haussa les épaules et sourit :

— Il a pensé que c'était une solution raisonnable, mais...

— Oui ?

— ... mais il a pensé que vous refuseriez.

— Vraiment ? dit Monica en se détournant et en se mordant les lèvres.

Pouvait-on prévoir, à ce point, chacun de ses gestes ? Cette pensée la mit hors d'elle. Et pourtant, ne songeait-elle pas précisément à décliner l'offre de Mme Wakefield ? Brent Wakefield avait vu parfaitement clair en elle : il avait prévu que sa proximité serait intolérable à Monica, dans le pavillon.

Monica serra nerveusement l'anse de la tasse entre ses doigts effilés, tandis qu'elle se représentait le regard narquois de Brent. N'était-elle qu'une petite fille timide sous ces yeux d'acier ?

Eh bien, s'il croyait la découvrir avec cette facilité, il

se trompait ! Elle prendrait le plus grand plaisir à le lui démontrer !

Sans réfléchir davantage, Monica regarda Mme Wakefield et déclara :

— Vous êtes très gentille. Je serais ravie de vous louer ce pavillon.

— Est-ce que vous ne préférez pas y jeter un coup d'œil d'abord ? demanda Mme Wakefield, avec surprise.

Mais Monica secoua la tête.

— Je suis certaine que c'est exactement ce que je recherche.

— Je l'espère, répliqua la mère de Brent, d'une voix étrange, en dévisageant Monica. Mais j'aimerais que vous veniez le voir demain tout de même. Venez vers seize heures, et nous prendrons le thé ensemble. Du vrai thé anglais, ajouta-t-elle, en souriant avec sympathie.

Spontanément, Monica saisit la main de Mme Wakefield.

— Je suis vraiment très sensible à votre attention, dit Monica. Je commençais à m'inquiéter...

— Eh bien, je suis heureuse de n'avoir pas écouté Brent finalement, dit Mme Wakefield avec un petit rire surprenant. Ah ! les hommes !... Que savent-ils des femmes ? Il était si certain que vous refuseriez...

— Vraiment ? demanda Monica, avec une satisfaction que l'éclat de ses yeux trahissait.

— Il n'avait pas le moindre doute là-dessus.

Leurs yeux se rencontrèrent, et les deux femmes éclatèrent de rire.

Monica fut surprise de se rendre compte que Tom Lindquist n'était nullement satisfait de cet arrangement.

— C'est un peu près de leur maison, non ? fit-il

remarquer, en fronçant les sourcils. De qui vient cette idée ?

— De madame Wakefield. Brent pensait que je refuserais, répliqua-t-elle avec un sourire enjoué.

— Si je comprends, tu n'as accepté cette offre que pour le faire enrager ? demanda-t-il, avec un regard soupçonneux.

Le sourire de Monica s'éteignit sur ses lèvres, et elle regarda Tom avec une réelle surprise.

— C'est-à-dire... pas vraiment...

— Allons, c'est exactement ce que tu as recherché. Mais pourquoi, Monica ?

Elle était très satisfaite de sa décision durant tout l'après-midi. Elle avait imaginé, après le départ de Mme Wakefield, le visage de Brent apprenant la nouvelle. Elle aurait donné cher pour voir son expression à ce moment-là.

Mais sous le regard inquisiteur de Tom, elle se sentait prise en flagrant délit... Jamais une personne digne de ce nom n'aurait agi de manière aussi infantile !

— Eh bien, j'avais beaucoup de mal à trouver un appartement, commença-t-elle à expliquer.

— Mais tu ne cherches que depuis quelques jours !

— ... et ce pavillon semblait parfait...

— Qu'en sais-tu ? Tu ne l'as même pas visité !

— ... mais c'était si gentil de la part de madame Wakefield... il aurait été malvenu de refuser, ajouta-t-elle, d'un air misérable.

— Ah ! Monica, Monica !... fit-il, avec un soupir, en secouant la tête. Je dois te dire que je ne te comprends pas ces derniers temps ! Parfois, j'ai l'impression que tu n'es plus la même depuis que tu es ici...

— Que veux-tu dire, Tom ?

Toute la bonne humeur qu'elle avait ressentie durant la journée, semblait s'être évanouie. Un étrange sentiment l'envahissait.

— Je ne vois pas où est le problème, si je loue ce pavillon.

Ils étaient allés dîner dans un petit restaurant sur le quai. Monica avait commencé le repas d'une humeur très joyeuse... Maintenant, elle avait posé ses couverts et considérait Tom avec lassitude.

Une douce brise soufflait depuis le large et soulevait les cheveux soyeux de Monica. La lanterne, posée sur la table, jetait des éclats enflammés dans ses yeux. L'excitation de la jeune fille faisait monter le rouge à ses joues et accroissait sa troublante beauté. Tom était sous le charme de Monica, mais il redoutait le moindre de ses gestes : inexplicablement, il la sentait de plus en plus lointaine, inaccessible, et plus particulièrement depuis leur arrivée aux Etats-Unis.

« Arrachez une fleur à son milieu naturel et regardez la métamorphose ! » pensa-t-il tristement. Mais était-ce simplement les Etats-Unis qui avaient transformé Monica ?

— Ne t'inquiète pas pour moi, Tom, assura doucement Monica, en touchant la main de son compagnon. Peut-être me suis-je conduite comme une enfant, mais c'est une bonne solution pour le moment, et madame Wakefield m'a beaucoup plu. Elle est si différente de son fils !

Tom rageait intérieurement. Fallait-il qu'elle fût enfant pour ne pas voir que...

— Sara Wakefield, dit-il tout haut, est une charmeuse, je le sais, mais promets-moi d'être prudente.

— Mais pourquoi diable ? demanda-t-elle, les yeux brillants.

Il avait l'impression qu'elle lui en voulait. Elle passait d'une humeur à l'autre à un rythme increvable, ces temps derniers. Il se pencha vers elle et déclara, non sans agacement :

— Parce que, mon ange, Sara Wakefield a plus d'un

tour dans son sac ! Est-ce que tu t'imagines qu'elle t'a offert les clés de son pavillon, alors qu'elle ne te connaît pratiquement pas, uniquement par générosité ?

Il ne put s'empêcher de rire devant l'air stupéfait de Monica.

— Non ! poursuivit-il. Elle a une autre idée derrière la tête.

— Vraiment, Tom, je ne...

— Comment combat-on le feu ? Avec du feu... Voilà ce que notre chère madame Wakefield s'est mis en tête...

— Je ne comprends pas de quoi tu parles, répliqua Monica, avec humeur. Qu'est-ce que c'est que cette histoire ?

Tom ricana et considéra Monica avec ironie.

— Tu n'as pas encore rencontré l'associée de Brent, n'est-ce pas ? Tu l'aurais déjà vue, si elle n'était pas en voyage, crois-moi. Je parle de Nathalie Wyatt, la belle veuve de Henry Wyatt et, selon certaines rumeurs, la passion secrète de Brent Wakefield !

Monica le regarda, éberluée. Elle eut l'impression d'avoir reçu une gifle.

— Nathalie a jeté son dévolu sur Brent, depuis des années. J'avouerai franchement que je ne sais pas où en sont les choses entre eux. Certains prétendent que Brent retarde leur mariage par respect pour la mémoire de Henry Wyatt et qu'il attend un délai décent. Il s'agit de ménager les susceptibilités pour cette vieille et vénérable famille du Cap Cod... D'autres affirment qu'il préfère d'abord remettre sur pied l'affaire qui a subi le contrecoup de la disparition d'Henry Wyatt. C'est ce dernier qui faisait vraiment marcher l'affaire : il y a eu, après sa mort, une certaine confusion...

Tom se tut un moment et prit une gorgée de vin.

— Enfin, quoi qu'il en soit de l'état de leurs relations, je peux te dire une chose : Sara fera tout pour que leur mariage n'ait pas lieu. Elle a déjà manigancé toutes sortes de stratagèmes. Elle n'ose rien ouvertement, mais ne renoncera à aucun prix.

Il caressa doucement la joue de Monica, qui, à sa grande surprise, était glacée.

— Voilà pourquoi elle t'accueille les bras ouverts, pauvre innocente, continua-t-il. Crois-moi, quand je te dis qu'elle ne t'aurait pas rendu visite, si le bruit ne courait pas déjà que la nouvelle assistante de la galerie anglaise était jeune et jolie. Elle a vu tout de suite le parti qu'elle pouvait en tirer. Et elle a improvisé une proposition.

— Je... je ne comprends pas, bégaya Monica.

— Vraiment ? Eh bien, je t'éclairerai quand il le faudra, et tu te mettras sur tes gardes.

Tom paraissait vraiment furieux et il ajouta avec fougue :

— Je ne supporte pas qu'elle t'entraîne dans son petit jeu !

— Quel jeu ?

— Quelle sera la réaction de Nathalie à son retour, selon toi ? Quand elle verra une jeune femme... ravissante... installée si près de son cher Brent ? Je t'assure que j'aimerais être là quand Brent tentera de se justifier !

Monica poussa un soupir. Elle comprenait enfin ! Mais elle n'arrivait pas à croire...

— C'est absolument ridicule ! s'écria-t-elle, le visage empourpré.

— Ah oui ? Réfléchis un peu, Monica : imagine une mère qui refuse que son cher fils adoré se marie avec une femme qui ne lui plaît pas.

— Est-ce que Nathalie connaît les sentiments de madame Wakefield à son égard ? coupa Monica.

— Elle ne s'en soucie probablement pas, fit-il avec un haussement d'épaules.

— Madame Wakefield l'accueille volontiers à *Sea-cliff*?

— Mais bien sûr, naturellement ! répondit-il en riant. Madame Wakefield est une femme subtile. Si elle interdisait à Nathalie de voir Brent, le fruit n'en serait que plus délicieux...

Monica secoua la tête.

— Cela me semble un peu... tiré par les cheveux.

— Enfin, tu ne me diras pas que je ne t'ai pas avertie.

Tom semblait à son tour exaspéré.

Monica regarda l'horizon de l'Océan pendant quelques minutes : elle essayait de s'y reconnaître dans toutes ces données nouvelles. Elle n'était pas consciente de ce que son visage trahissait. Mais une seule pensée dominait les autres : l'image de Brent et de Nathalie, ensemble ! Brent et Nathalie ! Que représentaient-ils l'un pour l'autre ?

Mais après tout, quelle importance cela pouvait-il avoir pour elle ? Elle n'avait pas à se préoccuper de la passion de Brent Wakefield pour une jeune et jolie veuve !

Elle regarda Tom, d'un air troublé.

— Que puis-je faire ? J'ai déjà promis que j'allais m'installer dans ce pavillon.

— Prétends que tu as changé d'avis, que tu te sentiras trop seule dans un pavillon. La propriété donne à pic sur l'Océan. Dis que tu as trouvé quelque chose en ville. Dis n'importe quoi ! ajouta-t-il en balayant l'air de sa main. Quelle importance, du moment que tu te retires du jeu ?

Monica hocha la tête et lui sourit : il en fut profondément ému.

— Je t'ai donné bien des inquiétudes, n'est-ce pas, Tom ? Tu as dû bien des fois regretter de m'avoir amenée ici...

— Pas du tout ! protesta-t-il, en prenant les mains de Monica dans les siennes, et en les serrant. J'aurais simplement dû te prévenir davantage sur cet emploi, avant de te persuader de l'accepter. Au fond, c'est moi qui suis responsable. Est-ce que tu regrettes d'être venue, Monica ? ajouta-t-il, avec un regard tendre.

Monica hésita et détourna les yeux un moment. Regrettait-elle vraiment d'avoir traversé l'Océan ? Quelle autre solution aurait-elle eue ? Rester dans la boutique de Londres, hantée par tant de souvenirs ? Au moins, aux Etats-Unis, son activité lui interdisait de trop ressasser le passé douloureux. Et elle aimait cette région et la plupart des gens qu'elle avait déjà rencontrés. Et le climat était merveilleux...

Elle avait, en outre, en Tom Lindquist le meilleur ami qu'une jeune fille pût souhaiter avoir.

Elle retrouva un sourire chaleureux dans lequel Tom reconnaissait, enfin, la Monica d'autrefois.

— Je suis heureuse d'être venue, répondit-elle. On ne doit pas exiger que tout marche à la perfection dès le début, quand on s'installe à l'étranger, mais j'ai bon espoir, conclut-elle avec un petit rire.

— Moi aussi, fit-il joyeusement, avec l'envie folle de l'embrasser.

— Amène-moi au cinéma ! J'ai envie de voir un bon film de suspense !

Il adorait la voir de cette humeur. Il aurait tout fait pour la rendre heureuse...

Quand Tom eut réglé l'addition, ils quittèrent le restaurant, main dans la main.

Sous le ciel étoilé, Tom eut une pensée qui l'emplit de bonheur : il avait l'impression d'être redevenu un enfant, à ses côtés !

Mais aussitôt après, il prit un air soucieux, en comprenant ce qu'impliquait un tel sentiment.

CHAPITRE IV

Seacliff était beaucoup plus impressionnant encore que Monica ne s'y attendait : c'était une immense demeure coloniale majestueusement installée sur un promontoire qui dominait l'Océan. La maison était entourée de plusieurs hectares de pelouse, et des dizaines d'érables ombrageaient l'allée circulaire qui menait au perron.

Tom avait appelé un taxi pour la conduire à *Seacliff* et durant tout le trajet, le chauffeur ne cessa de bavarder. Quand ils eurent atteint le porche de la maison, celui-ci lui sourit en se grattant la tête.

— On y est, mademoiselle. Quelle belle bâtisse, n'est-ce pas ?

— Elle est magnifique ! répliqua Monica.

— On prétend qu'elle a été bâtie par une des plus grosses fortunes des premiers arrivants, et puis qu'un riche commandant de bateau l'a agrandie. La côte était autrefois infestée de pirates... On raconte qu'elle est hantée, ajouta-t-il avec un petit ricanement sceptique, mais sur la côte, la moindre petite bicoque possède ses fantômes ! (Il haussa les épaules.) Je crois, moi, que c'est un attrape-nigaud pour touristes, cette histoire...

Madame Wakefield était sortie sur le perron, pour l'accueillir. Le vestibule était gigantesque, pareil à une immense salle de bal ; et toute la maison était décorée et meublée avec des antiquités anglaises.

— Le précédent propriétaire était Nathan Perry, un pasteur et le fondateur de l'Eglise de la Croix-Blanche, ici, à Sutton Point : il était anglais, précisa la vieille dame. La maison était beaucoup plus simple, à l'époque, et nous l'avons agrandie, mais nous essayons de préserver son caractère original.

Monica soupira.

— J'aimerais que les Anglais suivent votre exemple... Tant d'endroits fabuleux tombent en ruine, faute de soin.

Après avoir fait traverser à Monica quelques pièces du rez-de-chaussée, Mme Wakefield lui sourit et lui déclara :

— J'ai été très occupée depuis que je vous ai vue, hier. J'ai demandé à mes domestiques de faire le ménage dans le pavillon et j'ai fait prévenir monsieur de Vico, du magasin de tissus, pour qu'il soit à votre disposition et vous présente un choix de draperies. Allons, venez vite ! ajouta-t-elle, comme Monica ne répondait pas, vous allez voir le pavillon, je suis certaine que vous l'adorerez !

« Qui ne l'adorerait pas ? » pensa Monica, comme elles approchaient du petit pavillon, à toit incliné, niché dans un vallon, à la lisière d'un bosquet de sapins.

Le pavillon était crépi de blanc et entouré d'un jardin de fleurs miniatures. Les fenêtres étaient garnies de pétunias multicolores. Les vitres étaient divisées en petits carreaux étincelants. La porte d'entrée, en bois, avait une poignée de style ancien.

La salle de séjour, au plafond bas, était très confortable, avec des poutres apparentes et des murs or. Une magnifique cheminée de pierre, avec un âtre de style hollandais, suggérait déjà une soirée d'hiver au coin du feu... Des bibliothèques, de part et d'autre de la cheminée, achevaient de donner à la pièce sa tonalité chaleureuse.

Le toit de la chambre était légèrement mansardé : dans un recoin, une adorable coiffeuse était placée sous une fenêtre de poupée. Les murs étaient tapissés de petites fleurs vertes et dorées. Un imposant lit à baldaquin occupait la chambre.

La cuisine était petite et étroite, mais entièrement équipée de toutes les commodités modernes. On pouvait en dire autant de la salle de bains, couleur lavande.

« Il était décidément impossible de ne pas tomber amoureux de cette maisonnette ! » se disait Monica.

C'est alors qu'elle remarqua une petite porte, dans une alcôve du vestibule.

— Où mène-t-elle ? demanda-t-elle.

Madame Wakefield l'ouvrit devant elle : des marches conduisaient au sous-sol.

— La cave, expliqua Mme Wakefield. Vous voulez y jeter un coup d'œil ?

Elle alluma la lumière, et elles descendirent dans une pièce fraîche et humide, aux murs épais, au sol poussiéreux, avec différents couloirs étroits qui répétaient le plan de la maison.

Monica sourit en regardant son hôtesse.

— Il reste très peu de maisons en Angleterre, avec des caves, fit-elle remarquer. En tout cas, pas comme celle-ci !

Elle s'aventura dans un des recoins et aperçut à l'extrémité une porte.

— Où donne-t-elle ? demanda-t-elle, en la montrant du doigt.

— Vous le croirez ou non, répondit Mme Wakefield derrière elle, mais elle relie cette cave à celle de notre maison. Il y a aussi, paraît-il, un tunnel qui va jusqu'à la plage, mais je ne m'y suis jamais aventurée... ajouta-t-elle, en frissonnant. En vérité, ce pavillon est plus ancien que le bâtiment principal. Les Perry en avaient fait un refuge provisoire pour la famille, en attendant la fin de la construction qui mit plus de cinq ans...

Intriguée, Monica essaya de faire jouer la poignée de la porte épaisse, mais elle ne céda pas.

— Elle n'a pas été ouverte depuis des années, expliqua Mme Wakefield, quoique Brent ait déjà visité ce tunnel avec des camarades, dans son enfance. Je crois que le seul trésor qu'ils aient trouvé se réduisait à quelques ossements d'animal...

Monica fit une grimace.

— Mais pourquoi a-t-on creusé ces tunnels ?

— Ce devait être l'usage de ménager des passages secrets entre un bâtiment principal et ses dépendances. On devait s'en servir comme d'un refuge, pendant les révoltes indiennes ou bien... (ses yeux brillèrent malicieusement) ils devaient permettre, au maître de la maison, d'organiser ses rendez-vous galants...

Monica sourit à son tour.

— Et celui qui mène à la plage ?

— Probablement l'œuvre des pirates. Les côtes en étaient infestées autrefois...

— Passionnant, murmura Monica, en croisant ses bras contre sa poitrine.

Dans cette ambiance oppressante, elle eut la soudaine sensation de retrouver la présence spectrale d'ancêtres occupés à leurs intrigues...

— Montons, maintenant, invita Mme Wakefield, en saisissant le bras de Monica et en la conduisant jusqu'à l'escalier. Je crois voir que le pavillon vous a déjà envoûtée, dit-elle quand elles furent à nouveau au rez-de-chaussée. J'en étais certaine ! La maison vous plaît, n'est-ce pas ? ajouta-t-elle, en refermant la porte derrière elles.

Monica ne put faire autrement que de hocher la tête. Elle aurait menti autrement. Madame Wakefield avait tout préparé pour rendre le lieu accueillant et était

manifestement ravie de l'effet qu'il avait produit sur
Monica.

— Vous pouvez vous y installer ce week-end, sug-
géra Mme Wakefield. Dimanche, peut-être ?

— Ce serait parfait, répondit Monica, exultant déjà
à cette idée.

Elle avait complètement oublié sa première appréhension.

— Vous devez, bien entendu, vous sentir entièrement indépendante, et inviter les amis que vous voulez.
Vous pouvez également vous servir de la piscine et des
courts de tennis et, naturellement, de la plage...

— Vous êtes vraiment très gentille.

— Je ne suis pas toujours là. Je voyage beaucoup, et
vous ne me verrez pas très souvent ; vous vous sentirez
ainsi chez vous, ajouta-t-elle en souriant. Brent est, par
ailleurs, complètement absorbé par son travail.

— J'essaierai de ne pas le déranger, répliqua sèchement Monica.

Madame Wakefield ne put s'empêcher d'éclater de
rire devant l'expression de la jeune femme.

— Oh ! personne ne peut déranger Brent quand il
est plongé dans son travail, c'est-à-dire la plupart du
temps, je le crains bien...

« Personne vraiment ? Et Nathalie ? » se demanda
Monica.

Madame Wakefield ouvrit la porte d'entrée : le parfum des fleurs du jardinet embaumait l'air.

— Puisque c'est décidé, remontons à *Seacliff* et pre-
nons un thé ! dit Mme Wakefield.

Cette dernière semblait absolument ravie. Monica le
remarqua.

Elles longèrent la piscine, par l'allée de dallage qui
conduisait à la maison principale.

Une décapotable gris métallisé était garée devant la
maison. Monica reconnaissait la voiture et apercevait

déjà son propriétaire : Brent Wakefield apparut sur la terrasse, en pantalon bleu clair et en chemise blanche. Ces vêtements cintrés mettaient remarquablement en valeur sa stature d'athlète.

Il leva la main pour les saluer et s'assit sur une chaise longue : il fit mine de s'assoupir mais suivait, entre ses paupières, tous les mouvements de Monica...

CHAPITRE V

Le thé fut servi sur la terrasse : Monica fut touchée par l'attention de Mme Wakefield, qui fit un effort pour lui donner une apparence typiquement anglaise, avec des brioches, des toasts et des crêpes qui semblaient tout droit venus du Devon !

Pendant que Mme Wakefield faisait le service, Monica n'arrivait pas à se détendre : elle était trop préoccupée par la présence de Brent, de l'autre côté de la table. Il semblait, en revanche, parfaitement décontracté : il la regardait avec ironie et insistance.

Se doutait-il de l'effet qu'il produisait sur elle ? Monica ne pouvait s'empêcher de se poser la question. Et pourquoi donc était-il rentré si tôt à la maison ?

Comme si elle avait lu dans ses pensées, Mme Wakefield interrogea son fils.

Brent prit la tasse qu'elle lui tendait et y mit du sucre.

— Je dois prendre l'avion pour Atlanta à huit heures, ce soir, expliqua-t-il. J'ai préféré me reposer quelques heures avant le voyage.

Il jeta un coup d'œil à Monica par-dessus sa tasse.

— Alors que dites-vous de notre pavillon ?

— Je l'adore ! dit-elle sans lever les yeux de la brioche qu'elle était en train de beurrer.

— Vraiment ? Avec tous ses fantômes ?

— Brent ! Ne fais pas le gamin ! coupa Mme Wakefield, visiblement agacée. Il est inutile de l'effrayer
ainsi...

Mais il se contenta de rire et continua d'une voix
caverneuse :

— Elle pénétra dans le tunnel souterrain, se faufila
dans le labyrinthe de la cave et commença à gravir silen-
cieusement les marches...

— Brent, tu es vraiment sot ! s'écria Mme Wakefield en lui donnant une petite tape sur la main. J'espère
que vous n'allez pas croire un mot de ces sornettes !
ajouta-t-elle à l'adresse de Monica.

— Le chauffeur de taxi m'a raconté que *Seacliff*
était hanté, rétorqua Monica en souriant.

— Evidemment, c'est hanté ! admit aussitôt Brent,
avec un éclair dans ses yeux habituellement si froids.
Toute maison qui se respecte dans les parages a son fantôme ! Le nôtre est une femme... très belle, et très jeune,
bien que diabolique ! On raconte qu'elle a été brûlée
comme sorcière, sur ce domaine, il y a deux siècles...

Sa mère eut un geste d'impatience et s'adressa
anxieusement à Monica :

— Ecoutez, ma chère, il ne faut accorder aucun cré-
dit à ces balivernes. Je vis ici depuis trente-trois ans et
je n'ai pas vu la moindre trace de la sorcière en question !

— D'autres l'ont vue, insista Brent avec un
méchant sourire. Ne t'emporte pas, maman. J'ai
l'impression qu'il faudra plus d'un fantôme pour
effrayer Monica. N'ai-je pas raison ? demanda-t-il en la
regardant.

— Les fantômes courent les rues en Angleterre,
répliqua Monica, de manière incisive. Je me serais sentie perdue s'il n'y en avait pas eu au moins un ici même

pour m'accueillir. D'ailleurs, ils sont souvent beaucoup plus faciles à vivre que les hommes en chair et en os !

— Voilà un bon point ! lança Mme Wakefield, ravie que Monica le prît sur ce ton.

— En plein dans le mille ! reconnut Brent, en inclinant sa tête brune. Ce n'est pas de jeu, si vous vous y mettez à deux !

— Finis ton thé et changeons de sujet, veux-tu ? répliqua aussitôt sa mère.

Monica était quelque peu surprise de la voir adopter ce ton impératif avec quelqu'un d'aussi arrogant que Brent. Mais il ne semblait pas le moins du monde troublé.

— Y a-t-il autre chose dont vous veuillez que nous nous entretenions à propos de ce pavillon ?

— Eh bien... c'est-à-dire..., hésita Monica, avec gêne. Le prix du loyer...

— Je vous en prie, ne parlons pas de cela ! Je suis tellement heureuse d'être sûre que vous prendrez soin de la maison...

— Mais tout de même.

— Bon, eh bien, je ne sais pas...

Et elle proposa une somme ridiculement basse et ajouta :

— Si votre budget ne vous permet pas cette dépense, nous pourrons trouver un arrangement.

Monica la regarda avec surprise. Elle eut le souvenir soudain des paroles de Tom la mettant en garde sur les « manigances » de la vieille dame.

— Ce loyer me paraît très peu élevé, fit remarquer Monica.

— Nous avons quelques raisons de le vouloir ainsi, intervint Brent, en jetant un coup d'œil à sa mère. Vous oubliez que vous aurez à partager cette maison avec notre fantôme. Dans ces conditions, certains locataires ne l'accepteraient à aucun prix...

C'en fut trop pour Mme Wakefield. Ses yeux étincelèrent de colère, et elle dit sèchement :

— Je crois que tu commences à nous lasser, mon chéri. Et maintenant, Monica, ne parlons plus de loyer. Le chiffre que je vous ai proposé me convient parfaitement. Et s'il vous agrée, c'est décidé. Si nous prenions une autre tasse de thé ?

Monica était troublée : sa joie d'avoir trouvé un logement aussi agréable se dissipait peu à peu. Elle avait l'impression que Tom avait raison et qu'elle s'était jetée dans la gueule du loup. Pourquoi Mme Wakefield tenait-elle tant à l'aider, alors qu'elles se connaissaient à peine ? Elle devait avoir une idée derrière la tête !

Et qu'est-ce que Brent en pensait ? Avait-il prétexté cette histoire de fantôme pour la dissuader de s'installer dans le pavillon ? Il y avait des chances pour qu'il eût surpris ou du moins soupçonné les plans de sa mère...

Dès que la courtoisie le permit, Monica jeta un coup d'œil à sa montre et déclara qu'il était temps de se retirer. Elle avait un violent désir de s'éloigner de ces personnes possessives qui semblaient avoir hâte de manœuvrer sa vie. Comment allait-elle s'en sortir ? Elle s'était mise dans une position de faiblesse. Elle avait besoin de se retrouver seule pour réfléchir un peu.

— Je vais vous appeler un taxi, proposa Mme Wakefield, en saisissant le combiné du téléphone qui était posé sur un guéridon.

Mais Brent retint sa main.

— Ce n'est pas la peine, je vais raccompagner Monica en voiture.

Sans lui laisser le temps de protester, Brent s'avança vers Monica et posa une main sur son bras. Elle ne prononça aucune parole. Pourquoi l'aurait-elle fait ? Cette famille avait décidé une fois pour toutes de la prendre sous sa coupe : elle n'était pas de taille à lutter. « On verra plus tard » se dit-elle, en cédant.

Elle remercia Mme Wakefield qui répondit chaleureusement :

— Je suis vraiment ravie, ma chère, et je suis certaine que tout va parfaitement se passer. Sachez que vous êtes la bienvenue chez nous... Notre bibliothèque vous est ouverte... Et venez me voir sur la terrasse ou à la piscine quand vous le désirerez. Je prends mon thé tous les après-midi à cinq heures.

— C'est très aimable à vous, murmura Monica.

— Pas du tout ! protesta la dame, en souriant. Je sais qu'on peut se sentir seul au début dans un pays étranger. Quand j'étais jeune, j'ai passé quatre années dans un collège en France, et j'étais très malheureuse : c'est une expérience que je n'oublierai jamais. (Elle tapota le bras de Monica.) Allez, je ne vous retiens pas. Et ne craignez pas de m'appeler si vous avez le moindre problème.

Brent lui ouvrit la portière de sa décapotable puissante et fit un signe à sa mère avant de s'asseoir au volant. Quand ils furent sur la route de la corniche, Brent regarda Monica en coin et aperçut son expression inquiète.

— Vous avez des remords ? demanda-t-il.

Elle ne put réprimer un frisson, en se sentant ainsi découverte.

— Pas du tout, le pavillon est merveilleux, vraiment..., affirma-t-elle aussitôt en rougissant légèrement.

— Mais n'y a-t-il pas quelque chose qui vous tracasse ?

Cette fois-ci, elle le regarda droit dans les yeux. Et puis, elle détourna les yeux. Elle sentait sa gorge se nouer : il était si près d'elle, si fort, si troublant, si beau... à quelques centimètres d'elle seulement ! Elle se sentait prise au piège, dans cette voiture : elle était déchirée entre le désir instinctif de se rapprocher de lui et la volonté froide et raisonnée de s'enfuir.

— Qu'y a-t-il, Monica ? demanda-t-il doucement, en posant sa large main brune sur celle de Monica.

Profondément troublée par ce contact, elle resta prostrée.

— Ne faites pas attention à maman, ajouta-t-il comme elle ne répondait pas. Elle est parfois un peu envahissante, mais je crois qu'elle a éprouvé une sympathie immédiate pour vous et je crains bien qu'elle ne se sente un peu seule et accueille, avec joie, votre venue. Mais ne vous croyez pas obligée de passer tout votre temps avec elle. Vous en serez vite lassée.

— Ce n'est pas cela du tout, protesta Monica, d'une voix mal assurée.

— Alors qu'est-ce qui vous chagrine ? reprit-il avec une insistance autoritaire qui agaça Monica et lui fit recouvrer ses esprits.

Elle était encore toute bouleversée d'avoir brisé le vase de Chine. Bien qu'il fût couvert par l'assurance, elle se sentait encore redevable à l'égard de Brent Wakefield. Ce sentiment était extraordinairement déplaisant pour quelqu'un qui s'était fait une règle de demeurer toujours autonome et repoussait les obligations.

— Je réfléchis simplement, dit-elle en écartant sa main. J'ai des dispositions à prendre et j'y pensais, c'est tout.

Pour changer de sujet et ne pas continuer à mentir, elle ajouta :

— J'espère que votre voyage à Atlanta se passera bien. J'ai une telle envie de connaître le sud des Etats-Unis !

— Vous savez, il ne s'agit que d'un voyage d'affaires. Je dois rencontrer le propriétaire de Clemson, l'une des principales boutiques d'antiquités, dans le sud du pays. J'espère pouvoir lui vendre quelques objets.

— Eh bien, bonne chance !

— Merci, répondit-il avec un sourire. Au fait, je voudrais vous dire à quel point je suis impressionné par la manière dont vous vous occupez de la galerie. Vous avez tôt fait de vous habituer à nos méthodes.

Monica aurait dû prendre cela comme un compliment, mais elle ne put s'empêcher de mettre les choses au point :

— Il y a six ans, exactement, que je suis cette méthode : j'agissais ainsi, à quelques détails près, en Angleterre. Naturellement, j'ai moins de responsabilités ici. A Londres, je devais m'occuper d'enrichir notre stock et de prendre des contacts avec des vendeurs.

— C'est vrai, coupa-t-il. Tom m'a fait un tableau extrêmement détaillé de vos activités, ajouta-t-il non sans ironie.

Elle était outrée par son ton et garda les yeux fixés devant elle, sans rien laisser paraître.

— Ne sous-estimez pas votre rôle ici, insista-t-il. Ce n'est que le début. Une partie de votre tâche consistera précisément à trouver de nouveaux clients et justifiera quelques déplacements. Vous devrez assister également à d'importantes ventes aux enchères.

— Il était rare que nous sollicitions des clients, reconnut Monica, mais les autres aspects de mon travail me sont tout à fait familiers, et vous n'avez aucun souci à vous faire, ajouta-t-elle, par bravade.

— Votre optimisme est admirable, fit-il remarquer avec agacement. Vous pensez peut-être que ce poste d'assistante n'est pas à la mesure de vos divers talents ?

— C'est à vous d'en décider ! lança-t-elle avec colère.

Elle ne supportait pas son ton condescendant. Il semblait décidé à mettre à l'épreuve ses capacités, alors qu'elle avait fait tant de sacrifices, pendant six ans, pour apprendre son métier ! Il n'y avait d'ailleurs pas simplement ces six années, car elle avait été plongée dans ce monde des antiquités, dès son enfance... De quel droit cet homme, encore jeune de surcroît, se permettait-il de la traiter comme une débutante ?

— Je reconnais ma maladresse pour le vase de Chine, admit-elle, et je suis absolument désolée. Cela ne m'était jamais arrivé...

— Vous n'avez jamais rien cassé jusque-là ?

— Naturellement, j'ai brisé des objets, répliqua-t-elle, les joues en feu, mais aucun objet d'une telle valeur !

— Ah ! je vois ! dit-il sur un ton de mépris, vous ne cassez que ce qui n'a pas une grande valeur...

— Ne soyez pas ridicule ! Je voulais simplement dire que j'étais, en général, très soigneuse...

Pour le plus grand désarroi de Monica, Brent gara la voiture sur le bas-côté et l'arrêta. Il se tourna vers elle et la regarda avec hostilité.

— Vous êtes fière et obstinée, Monica Nelson ! grommela-t-il. Vous êtes un peu trop orgueilleuse à mon gré ! Et je vois très bien ce que vous pensez de votre travail. Tant que je serai l'un des associés de *Wakefield et Wyatt*, c'est moi qui prendrai les décisions quant à votre carrière dans notre compagnie. Et franchement, ma chère, je pense que vous avez encore beaucoup à apprendre et pas nécessairement sur le travail lui-même...

— Je crains de ne pas comprendre votre allusion, répliqua-t-elle obstinément.

— Eh bien, je me ferai un plaisir de vous éclairer. Vous n'êtes pas habituée à recevoir d'ordres, n'est-ce pas ? Et manifestement, vous n'êtes pas prête à en accepter l'idée. Ce qui est incompréhensible, étant donné votre passé. Vous avez d'abord eu votre cher papa et puis un irremplaçable admirateur en la personne de Tom Lindquist. Pour eux, il était impossible que vous commettiez la moindre erreur. Mais en ce qui me

concerne, vous devez èncore faire vos preuves. Vos
talents n'ont pas encore été démontrés. Est-ce que vous
avez compris ?

La colère l'étouffait et la rendait muette. Personne
n'avait jamais osé lui parler sur ce ton ! Pour qui la
prenait-il ? Pour une lycéenne ? Alors qu'elle avait derrière elle toute une vie professionnelle dans le domaine
des antiquités !

— Si vous ne pensez pas que je convienne à ce poste,
pourquoi m'avez-vous engagée ? demanda-t-elle, sur un
ton de provocation.

— Je n'ai jamais dit que vous étiez incapable, dit-il
avec exaspération. Je pense que vous convenez à ce travail. Mais le problème est de savoir jusqu'à quel point.
L'ennui avec vous, Monica, c'est que vous n'avez
jamais réellement affronté la réalité avec toute la dureté
que cela implique. Votre père vous a protégée et câlinée
un peu trop, d'après moi. Dans la vie réelle, un employé
doit savoir recevoir des ordres d'un supérieur, ce que
vous ne paraissez pas admettre.

Il sourit devant l'expression outragée de Monica.

— Je pense que vous pourriez devenir une excellente
professionnelle, Monica Nelson, mais il faut, pour cela,
que vous y mettiez de la bonne volonté.

— Je n'ai aucune objection à recevoir des ordres,
dit-elle avec fureur, mais encore faut-il avoir suffisamment d'expérience pour m'en donner !

— Vous laissez entendre que je n'en ai pas ? fit-il en
riant.

Elle haussa les épaules.

Il semblait sur le point de la saisir par les épaules et
de la secouer furieusement. Mais il se contenta de déclarer :

— Eh bien, quoi que vous puissiez penser, vous avez
tort sur ce point.

— Peut-être, mais vous n'avez pas à me traiter comme une enfant !

— Vous n'avez qu'à ne pas agir comme tel ! Je suis désolé si vous ne m'entendez pas prendre le ton mielleux auquel on vous a accoutumée, mais la franchise a du bon. Et je pense que vous avez besoin qu'on vous mette les points sur les i. Je pense que vous finirez par me donner raison et que vous agirez de manière raisonnable.

Elle ne répondit pas. Mais ses remarques avaient fait mouche. Est-ce que son père s'était montré trop indulgent à son égard ? Elle avait toujours agi comme bon lui semblait. Wakefield s'était montré généreux à propos du vase de Chine. Que pouvait-elle exiger d'autre ?

L'Amérique lui plaisait beaucoup, par bien des aspects, le Cap Cod et son travail dans la galerie étaient inespérés. Fallait-il, par simple orgueil, renoncer à ces avantages ? Il ne serait pas facile pour elle de trouver un travail aussi gratifiant, dans ce domaine.

— Eh bien, demanda son patron, qui semblait lire sur son visage, est-ce que vous êtes d'accord avec ce que j'ai dit ?

— Et si je ne l'étais pas ? lâcha-t-elle, en regrettant aussitôt sa désinvolture.

Mais pour sa plus grande surprise, il éclata de rire et secoua la tête.

— Vous êtes libre de partir et de chercher un autre emploi ! Je ne suis pas votre geôlier !

— Je comprends.

— Mais non, ma chère, vous ne comprenez pas ! Mais j'ai bon espoir qu'un jour, vous comprendrez. Vous êtes indéniablement intelligente et... (il la dévisagea avec insistance), vous avez l'apparence d'une femme mûre... mais l'attitude têtue d'une enfant !

— Vraiment ?

— Oui, vraiment.

Il posa le bout de ses doigts sur la joue de Monica.

— Je suis désolé si ma franchise vous choque et si je n'ai pas la galanterie à laquelle vous étiez habituée, mais il est de mon devoir d'employeur d'être sincère avec vous. Maintenant, nous savons tous les deux à quoi nous en tenir.

« Le savons-nous vraiment ? se demanda-t-elle, sans pouvoir réprimer le frisson que suscitait son contact. Est-ce que je le comprends, moi-même ? » D'un côté, Brent Wakefield semblait l'apprécier et de l'autre il l'accablait. Il paraissait avoir le don incroyable de la déséquilibrer constamment. Eh bien, il était possible qu'elle le prît à son tour au dépourvu...

— Je pense pouvoir accepter vos conditions, Mons...

— Brent, s'il vous plaît ! coupa-t-il.

— Brent.

— Parfait ! Vous m'en voyez ravi, répondit-il, sans paraître le moins du monde surpris, pour le plus grand agacement de Monica. Maintenant nous pouvons oublier nos petits accrochages et recommencer comme si de rien n'était.

Monica s'enfonça dans son siège et regarda la mer au loin, en essayant de rassembler ses pensées confuses.

« Vous devez faire vos preuves, » avait-il dit sincèrement. Aucun homme ne s'était jusque-là adressé à elle en ces termes. Mais elle n'avait jamais rencontré d'homme aussi fascinant que Brent Wakefield !

Elle avait beau le trouver dictatorial et autoritaire, et d'une insupportable brutalité, elle reconnaissait son honnêteté et finissait par trouver que ses accusations n'étaient pas sans fondement. Jusque-là, elle n'avait jamais refusé de voir la vérité en face. Elle ne changerait pas de position : il s'agissait pour elle de se montrer aussi compétente et efficace que possible, afin de faire mentir M. Brent Wakefield !

Il n'était plus question pour elle de tolérer la moin-

dre allusion critique : elle lui prouverait qu'elle méritait
son salaire !

Quand elle se retrouva dans sa chambre, elle était
toujours furieuse contre Brent Wakefield. Elle devait
dîner avec Tom Lindquist : il lui restait encore quelques
heures avant ce repas pour oublier sa colère.

Elle regarda par la fenêtre l'étendue bleue de la mer,
où des bateaux de pêche et des goélettes rentraient au
port. Leurs taches joyeuses et colorées contrastaient
avec son humeur sombre.

Elle entendait encore la voix profonde de Brent, iro-
nisant sur l'éducation qu'elle avait reçue de son père et
sur l'admiration de Tom.

Elle n'avait jamais considéré Tom comme un admirateur. L'allusion de Brent lui semblait absolument ridicule. Tom était comme un frère aîné, sur lequel elle pouvait compter à n'importe quel moment.

Et pourtant... si Brent avait raison ? Il semblait ne
pas manquer d'intuition pour découvrir les motivations
profondes des êtres. Ne s'était-elle pas inconsidérément
confiée à Tom ? Ne s'était-elle pas laissé prendre en
main, après la mort de son père ? En l'accompagnant
aux Etats-Unis, ne risquait-elle pas de créer des malentendus ?

Elle ne voulait pas faire souffrir Tom. Il lui était
sympathique et, de plus, elle lui était trop redevable.
Grâce aux attentions de Tom, depuis son arrivée, elle
n'avait pas une seule fois souffert de nostalgie, et elle
n'avait pas eu le temps d'être déprimée en évoquant la
mort de son père. Les difficultés que présentait son
emploi ne pouvaient pas lui être imputées : il avait d'ailleurs risqué sa place, en prenant courageusement sa
défense.

Après tout, dut-elle admettre non sans étonnement,
Tom Lindquist risquait bien d'être amoureux d'elle.

Monica alla s'asseoir sur le rebord du lit et fronça les sourcils. Et elle, que pensait-elle de Tom ?

Elle éprouvait une grande sympathie. Incontestablement. Une très grande affection également. Mais ce n'était pas l'amour, ce n'était pas la passion qui peut dévorer une femme. Non !

Mais la passion est-elle vraiment nécessaire ? Elle s'éteint souvent comme un feu de paille. Qui a vraiment l'occasion de connaître la passion déchirante, les tourments ravageurs de l'amour, tels que les romans les décrivent ? Dans notre monde quotidien où priment les soucis matériels, la chose est exceptionnelle !

Partager la vie de Tom devait être agréable : on ne pouvait le nier. Ils s'entendaient sur de nombreux sujets. Ils avaient beaucoup de points communs, et ils se sentaient parfaitement bien ensemble. Il lui plaisait beaucoup, tel qu'il était. Il semblait prendre un grand plaisir à être avec elle, telle qu'elle était. Tom, elle s'en rendait compte, n'aurait jamais aucune exigence à son égard. Jamais, se dit-elle avec un sourire ironique et douloureux, il ne lui demanderait de « faire ses preuves » !

Oui, elle aurait une douce vie avec Tom Lindquist. Avec lui, elle se sentirait dans un havre de paix et elle ignorerait les tempêtes de la haute mer !

Monica se leva tout doucement, avec un petit soupir et alla dans la salle de bains prendre une douche. Elle laissa l'eau baigner son visage : elle aurait voulu que le fouet de l'eau brûlante emportât tous ses tracas. Mais, contre son gré, elle sentait encore sur sa peau, sur ses joues, le contact des mains de Brent, et elle entendait encore cette voix grave et moqueuse évoquer son comportement « infantile »...

Face à cette image de Brent, Tom et ses promesses d'une vie familiale et tranquille s'évanouirent comme un fantôme dans les souterrains de *Seacliff*...

*
* *

— Je n'aime pas ça du tout, lâcha Tom, l'air soucieux, devant sa tasse de café. Tu aurais dû te montrer
plus ferme avec elle, Monica. Madame Wakefield sait
parfois être une femme très dominatrice, et je ne supporte pas l'idée de te savoir entraînée dans une intrigue
de son invention.

Etait-ce vraiment cela qui ennuyait Tom ? se demandait Monica. N'avait-il pas une autre raison de s'opposer à son installation sur le domaine de *Seacliff* ?

— Le pavillon est tellement merveilleux, et elle s'est
donné tant de mal pour tout arranger, que pouvais-je
dire ? plaida-t-elle.

— Tu pouvais parfaitement lui annoncer que tu
avais déjà trouvé une autre solution, répondit-il en la
dévisageant sévèrement.

Monica était gênée. Elle avait hâte de changer de
sujet et elle posa sa tasse, en déclarant sur un ton
d'impuissance :

— De toute façon, la chose est décidée, et je vais
faire contre mauvaise fortune bon cœur. Madame Wakefield ne m'est pas antipathique, et je n'ai aucune raison
de me montrer ingrate. Mais je ne me laisserai pas
entraîner pour autant dans des intrigues de femmes. Ma
vie privée me concerne seule.

Tom eut un sourire dubitatif.

— Eh bien, je te souhaite bonne chance ! Nathalie
Wyatt est revenue de son voyage sur la côte ouest ce
matin.

CHAPITRE VI

Ce fut au milieu de l'après-midi du lendemain, que Monica reçut le coup de téléphone. La secrétaire de Mme Wyatt demandait à Monica d'apporter chez elle une petite collection de poteries du Staffordshire, car une cliente importante voulait l'examiner. Mademoiselle Nelson était priée de venir tout de suite, ajoutait la secrétaire en raccrochant presque aussitôt.

Monica empaqueta la collection et interrogea Rose Cardiff :

— Est-ce que madame Wyatt reçoit souvent des clients chez elle ?

Rose sourit et répondit cyniquement :

— Nathalie n'a pratiquement jamais affaire aux clients directement, sinon pour aider Brent à les recevoir de temps à autre. Non, tout cela n'est qu'un prétexte pour voir de quoi vous avez l'air.

Monica n'insista pas, mais Rose poursuivit :

— La reine vous convie à une audience privée. Elle veut savoir si la concurrence est sérieuse !

— Quelle concurrence ?

— Ma petite, quand une jeune femme séduisante, mariée ou pas, rôde à moins d'un kilomètre de Brent Wakefield, Nathalie sort ses griffes...

Paul Gauthier avança à pas de velours pour annoncer qu'il avait fait appeler un taxi pour conduire Monica à Beacon Hill, où était située la maison des Wyatt, dans les faubourgs de la ville.

Paul n'avait jamais manqué de se montrer utile depuis l'arrivée de Monica : il lui avait indiqué tous les détails qui risquaient de lui échapper à première vue. Il n'était pas avare de conseils et venait souvent à son aide.

Comme il avait surpris leur conversation, il fit remarquer en souriant :

— N'écoutez pas Rose. Elle a les pires préjugés. Elle n'a jamais pardonné à Nathalie de lui avoir soufflé Henry Wyatt !

— Idiot ! lâcha Rose, en éclatant de rire, mais en plissant légèrement les yeux.

Paul s'appuya contre le mur, tandis que Monica terminait ses paquets.

— Madame Wyatt est une jeune dame très charmante, poursuivit-il, et comme elle est associée dans la compagnie, il est tout à fait normal qu'elle veuille vous rencontrer.

Ne sachant plus à qui se fier, Monica monta dans le taxi et, non sans une certaine excitation, demanda au chauffeur de la conduire à Beacon Hill.

Si *Seacliff* était déjà impressionnant, que dire alors de la propriété immense des Wyatt ? La gigantesque demeure victorienne semblait absolument envahir le promontoire sur lequel elle avait été bâtie. Elle était à moins de cinq kilomètres de celle des Wakefield et elle dominait l'Océan de manière assez semblable.

— C'est un drôle de morceau, hein ? dit le chauffeur, tandis qu'il aidait Monica à prendre son paquet. Je me demande qui peut avoir envie de s'enterrer dans ce mausolée.

— Je suppose que cette maison est, elle aussi, hantée ? demanda Monica avec un sourire espiègle.

Il ricana.

— Je ne crois pas, madame. Les fantômes choisissent leur coin...

Une servante vint ouvrir la porte et fit entrer Monica dans un immense vestibule faiblement éclairé par des vitraux.

Une femme menue, au visage aigu, sortit d'une pièce de côté. Elle avait un dossier à la main. Elle dévisagea rapidement Monica, de ses petits yeux noirs et perçants.

— Je suis heureuse que vous ayez été aussi rapide ; madame Wyatt ne veut pas faire attendre sa cliente. Je suis mademoiselle Hilliard, la secrétaire de madame Wyatt. Par ici, je vous prie.

Elle devança Monica dans un long corridor, d'un pas rapide. Monica la suivait tant bien que mal, chargée de l'encombrant paquet.

Après un vestibule, Mlle Hilliard ouvrit une porte et s'effaça pour laisser passer Monica, en annonçant :

— La jeune fille de la galerie vient d'arriver, madame Wyatt.

Avec un certain embarras, Monica avança dans la pièce, somptueusement décorée.

Les murs étaient tapissés d'un velours rouge, le sol était recouvert d'une épaisse moquette pourpre également et des tentures dorées pendaient aux fenêtres. Les fauteuils étaient recouverts avec le même tissu or. Les tables et les guéridons étaient de marbre, et d'immenses miroirs, aux parures sculptées, renvoyaient leurs reflets à l'infini.

Deux femmes étaient debout près des fenêtres, et Monica avait du mal à distinguer leurs traits ainsi, à contre-jour.

— Je vous en prie, approchez, dit une voix vive, mais assez mélodieuse. Venez nous montrer les poteries dans la lumière.

Monica avança avec gêne, en trébuchant presque à

cause de l'épaisse moquette. La plus grande des deux femmes se retourna alors vers elle : Monica vit, pour la première fois, Nathalie Wyatt.

Elle était grande, plus grande que Monica, d'une minceur de mannequin ; elle devait avoir une trentaine d'années. Ses cheveux d'ébène tombaient raides sur ses épaules, et une petite frange lui couvrait le front jusqu'au niveau des sourcils qu'elle avait gracieusement arqués. Elle possédait les yeux les plus grands, les plus verts que Monica eût jamais vus. Le nez de Nathalie était droit, et sa bouche charnue et sensuelle était pleine de promesses.

Exotique : voilà la première pensée que Monica eut devant ces yeux d'émeraude dont on prétendait qu'ils avaient conquis le cœur de Brent Wakefield. Sous ce regard inquisiteur, Monica ne put s'empêcher de tressaillir.

Nathalie portait, avec une étonnante élégance, un ensemble de pantalon en soie blanche qui contrastait avec les vêtements modestes de Monica, soudain mal à l'aise.

Nathalie lui tendit une main extraordinairement fine et fragile.

— Vous êtes donc Monica Nelson, notre nouvelle assistante ? Je suis ravie de vous rencontrer enfin, dit-elle avec un regard insistant, mais sans cesser de sourire. Puis-je vous présenter madame Lipstead ?

Monica serra la main de la cliente, une femme rondouillette aux cheveux teints, dont la seule caractéristique remarquable était le collier de diamants qu'elle avait autour du cou.

Monica fut éblouie par leur éclat.

Nathalie leur fit signe de s'asseoir.

— Eh bien, jetons un coup d'œil à ces poteries. J'espère qu'elles auront supporté le voyage sans trop de dégâts... fit-elle en échangeant un regard amusé avec la cliente.

Monica sentait qu'elle rougissait jusqu'aux yeux. Nathalie et sa cliente avaient donc entendu parler de sa maladresse avec le vase de Chine... Brent avait-il été indiscret ?

Elle posa précautionneusement la boîte sur le sol et commença à dépaqueter la porcelaine, en passant les pièces au fur et à mesure à Mme Lipstead pour qu'elle les examinât.

Les deux femmes l'assaillirent de questions sur les époques des différents objets et leur valeur respective.

Madame Lipstead chaussa ses lunettes pour admirer un pot qui, comme la plupart des autres pièces, ne portait pas la marque du fabricant. Elle prit ensuite une étrange figurine qui représentait un épagneul.

— Voici probablement la pièce la plus ancienne, probablement fabriquée par l'atelier d'Enoch Wood, à la fin du XVIIIe siècle ! affirma-t-elle.

Elle mit le pot dans la lumière et, en le tournant dans tous les sens, annonça sans hésiter :

— C'est un pot Hanley, probablement fabriqué par *Neale et Cie.*

Elle jeta un coup d'œil à Monica par-dessus ses lunettes.

— Me donnez-vous raison ? demanda-t-elle à Monica.

Monica soupira et déclara :

— Le pot est de l'époque victorienne, il date de 1845 environ...

— J'en doute beaucoup ! protesta Mme Lipstead. J'ai un pot tout à fait semblable dans ma collection, je l'ai fait expertiser. On m'a absolument garanti que c'était un Neale, de la fin du XVIIIe siècle !

— Madame Lipstead possède l'une des plus importantes collections des premières poteries de Stafford-shire, précisa Nathalie.

Monica hésitait à lui donner tort. Il n'était jamais conseillé de discuter avec un client éventuel, mais il aurait été malhonnête de mentir sur un objet en vente.

— Je suis désolée, insista-t-elle, mais ce pot particulier date de l'époque victorienne.

Pour prouver ses dires, elle choisit un pot plus ancien dans la boîte derrière elle.

— Si vous comparez avec attention ces deux objets que soixante ans séparent, vous noterez très précisément la différence. Le pot victorien a été moulé : il n'est pas modelé à la main. Est-ce que vous remarquez son uniformité, sa régularité ? Et l'argile de la pièce plus récente est plus blanche. On a utilisé également plus d'or dans la décoration. L'émail de la pièce la plus ancienne n'est pas aussi parfait. Est-ce que vous voyez cette légère craquelure ?

Elle dirigea ensuite son attention sur l'épagneul.

— Je dirais qu'il s'agit d'un Alpha, fabriqué vers 1850. Il a été fait à l'aide de trois moules différents, avec une technique circulaire exceptionnelle à cette époque.

— Je suis certaine que mon expert vous contredirait, mademoiselle Nelson, protesta Mme Lipstead. Qu'est-ce qui vous donne une telle assurance ?

— Eh bien, commença Monica en soutenant le regard devenu hostile de la cliente, utilisée probablement pour la piéger, j'ai eu la chance d'avoir affaire, dans différentes collections privées et dans des musées, aux objets les plus rares existant en Grande-Bretagne. J'ajouterai que le Staffordshire est, pour ainsi dire, ma spécialité. J'ai, moi-même, précisa-t-elle avec un petit sourire, une modeste collection de ces pièces.

— Vraiment ? demanda froidement Mme Lipstead, avec un regard hautain. Eh bien, dans ces conditions, je suppose que vous êtes couverte par une assurance. Un accident peut toujours arriver, ajouta-t-elle avec un regard complice dans la direction de Nathalie.

« Encore ce vase ! » pensa Monica, en rageant intérieurement. Brent lui avait dit de tout oublier, mais ce n'était pas avec ces deux femmes, qu'elle le pourrait de si tôt...

Une servante vint apporter un plateau avec du café et des pâtisseries. Nathalie servait avec une grâce très raffinée qui donnait l'impression, à Monica, d'être maladroite et rustre.

— Je comprends maintenant pourquoi Brent était si stupéfait quand vous êtes arrivée pour prendre le poste de directrice de galerie ! s'écria Nathalie. Je ne doute pas de vos capacités, Monica. Vous nous avez bien remises en place avec ces poteries de Staffordshire... Mais vous êtes si jeune ! ajouta-t-elle en faisant étinceler ses yeux verts de malice. Je crains bien que parfois Tom Lindquist ne se laisse aller à son enthousiasme. Naturellement, il a quelques raisons de vous vouloir à portée de la main.

Madame Lipstead eut un petit ricanement.

— Evidemment, cinq mille kilomètres de distance ne simplifient pas les choses en amour...

Elles attendaient sa réponse. Mais Monica était passée de la plus grande nervosité à une véritable irritation. Elle était maintenant certaine que les deux femmes ne l'avaient attirée à Beacon Hill que dans le but de l'humilier et de lui soutirer tous les renseignements que l'espion de Nathalie, à la galerie, n'avait pas pu recueillir. Et elle sentait bien que Mme Wyatt n'attendait que la confirmation d'une relation sentimentale entre Tom et Monica. Eh bien, elle regrettait de devoir la décevoir !

— Tom n'est qu'un ami pour moi, rétorqua-t-elle, en espérant qu'elles changeraient de sujet.

Les deux femmes échangèrent un regard, lourd d'allusions.

— Nous n'avions pas l'intention d'être indiscrètes, fit doucement Nathalie, avec un regard de fausse innocence. Nous supposions simplement, comme tout le monde, que Tom et vous représentiez davantage l'un pour l'autre. C'est ce que pensait Brent également. Il me disait justement au téléphone, l'autre soir, qu'il pensait que vous formiez un couple magnifique...

Monica était profondément désarçonnée, mais elle se contenta de secouer la tête, en répondant froidement :

— Il s'agit d'un malentendu.

Elle eut soudain hâte de s'en aller de Beacon Hill. Oui, Rose avait bien prévu la scène. Il était évident que cette Mme Lipstead s'intéressait plus à la vie privée de Monica qu'à la poterie anglaise ! Elles l'avaient attirée ici sous un prétexte quelconque : Monica ne pouvait rien faire pour protester contre ces agissements, car Nathalie Wyatt était associée dans l'entreprise qui l'employait, et elle avait des droits sur elle, dans le domaine professionnel.

Madame Lipstead passa une serviette sur sa bouche et demanda :

— Où logez-vous, ma chère ?

Monica indiqua l'hôtel où elle avait demeuré jusque-là et elle hésita à en dire davantage, à propos du pavillon.

Nathalie demanda à brûle-pourpoint :

— Vous n'avez pas pu trouver d'appartement ?

Monica réprima un soupir d'agacement : quel moyen avait-elle de garder un secret, devant cette inquisition ?

Elle essaya de prendre un ton naturel pour déclarer :

— Madame Wakefield a eu la gentillesse de me louer un petit pavillon sur sa propriété. Je m'y installe ce week-end.

On entendit une mouche voler. Les deux femmes

avaient le regard posé sur Monica. Nathalie ne put dissimuler, dans son regard enflammé, la curiosité qui la dévorait.

— Le pavillon..., lâcha-t-elle dans un murmure, comme pour elle-même. Mais enfin pourquoi diable ! jeune comme vous êtes, voulez-vous vous enterrer dans une maison aussi sinistre ?

Devant la surprise manifeste de Nathalie, Monica fut ravie de découvrir que Brent ne lui en avait rien dit au téléphone. Craignait-il une scène ?

— Je n'ai pas trouvé d'appartement à louer en ville, répliqua-t-elle, gênée devant le coup d'œil ironique de Nathalie. Et le pavillon était libre.

— Comme c'est commode ! lança Mme Lipstead avec un petit rire narquois. Et comment comptez-vous vous divertir dans un pareil endroit ? Je crains bien que vous ne trouviez cette solitude un peu lassante.

— Je ne crois pas, coupa Monica avec détermination, en regardant sa montre. Je suis désolée mais je dois rentrer maintenant, si vous avez suffisamment examiné ces poteries. J'ai encore quelques tâches administratives à terminer cet après-midi.

Madame Lipstead saisit, avec négligence, deux pièces de la collection : elle les avait à peine examinées ! Il était évident qu'elle prenait quelque chose, par loyauté à l'égard de Nathalie.

Cette dernière reconduisit Monica jusqu'à la porte après avoir fait appeler un taxi.

— J'espère que vous aurez plus de chance, avec le pavillon, que les précédents locataires, chuchota-t-elle. Ils sont partis brusquement en plein milieu de la nuit. Cet endroit a un étrange passé et produit un effet bizarre sur ceux qui l'habitent.

— Les fantômes ? demanda Monica, sans pouvoir retenir un petit rire moqueur.

Mais Nathalie ne souriait pas.

— Oui, en effet, les fantômes également. Mais ce n'est pas à cela que je pensais. Je pensais à la fille qui a été assassinée au début de ce siècle et au bébé qui y est mort, il y a une trentaine d'années dans des circonstances qui n'ont pas été éclaircies...

CHAPITRE VII

Le dimanche matin, Monica était bien installée dans le pavillon de *Seacliff*. Tom avait insisté pour l'aider, bien qu'il ne se fût agi que d'apporter ses bagages depuis l'hôtel. Elle avait acheté assez de nourriture pour tenir un jour ou deux avant d'examiner ce dont elle aurait besoin.

Quand tout fut terminé, vers six heures de l'après-midi, Tom sortit, de la malle de la voiture, un barbecue portatif, pour faire griller des steaks. Monica prépara une salade verte dans la cuisine et sortit les canettes de bière du réfrigérateur.

Ils dînèrent sur la petite terrasse dallée derrière le pavillon, qui donnait sur le jardinet. Quand ils eurent terminé leur repas, ils écoutèrent en silence le déferlement des vagues qui montait du promontoire.

C'était une belle soirée : le ciel était pâle, sans nuages, rosissant et dorant vers l'ouest. Le parfum des fleurs et des herbes du jardin était soulevé par la brise du crépuscule.

C'était un moment de parfaite quiétude : ils n'avaient pour témoins que les oiseaux qui chantaient au-dessus de leur tête. Ils auraient pu être les seuls habitants de la terre. Ils étaient heureux de partager leur petit coin de paradis.

— Tu ressembles à une chatte qui ronronne, fit

remarquer Tom en observant Monica qui s'étirait sur sa chaise, en savourant une dernière gorgée de bière.

Elle avait revêtu un short et un débardeur, et elle avait fait, de ses cheveux épais et soyeux, un catogan.

Monica sourit, en allongeant ses jambes que le soleil avait commencé à dorer. Elle était envahie d'un merveilleux sentiment de bien-être procuré par la chaleur et la tranquillité d'une douce soirée, la simplicité d'un repas savoureux et la présence d'un ami fidèle.

— J'avoue que je paresserais ainsi pendant des heures, admit Monica. J'ai l'impression que je m'habituerais très vite à cette vie de farniente.

— Oh non ! je ne te le permettrai jamais ! dit Tom en riant. Tu vas finir ton verre, et nous allons nous promener le long de la plage.

— Je savais bien que c'était trop délicieux pour durer ! gémit Monica.

— Un escalier de pierre avait été creusé dans la falaise, avec une rampe de cuivre pour permettre de descendre sur la plage. La marée allait monter, et les vagues léchaient les rochers, mais il restait un ruban de terre pour marcher le long de la mer.

Monica prit naturellement le bras de Tom, en emplissant ses poumons de l'air marin et en s'arrêtant, de temps à autre, pour examiner un coquillage.

La falaise de pierre rose se dressait sur leur gauche et leur cachait la maison des Wakefield et le pavillon. Ils apercevaient parfois des grottes et des crevasses dans les rochers baignés, depuis des siècles, par les vagues.

Une des grottes semblait très profonde. Monica entraîna Tom à l'intérieur du tunnel qui, peu à peu, s'élargissait, et ils découvrirent une véritable caverne.

Monica avait échappé à Tom et l'avait devancé.

— Hé, où es-tu ? demanda-t-il derrière elle. Sois prudente, ajouta-t-il en la suivant.

Il la trouva dans une zone d'ombre presque totale, plongée dans la contemplation des murailles.

— Nous aurions dû emporter une lampe, murmura-t-elle sans comprendre elle-même pourquoi elle avait baissé la voix.

Tom prit un briquet qu'il avait dans sa veste et l'alluma. La lueur, qu'il diffusait, faisait d'étranges ombres sur les murs de la grotte. Les murailles suintaient, et le sol, où s'entremêlaient des algues, était humide et creusé de flaques par endroits. La mer envahissait sûrement cette grotte par gros temps. Au-dessus de leur tête, la caverne formait une voûte assez haute, et sur les parois, des rocs proéminents semblaient former des étages.

— Regarde ! murmura Monica, tout excitée, en indiquant deux anneaux métalliques dans la paroi, à un mètre du sol.

Elle tourna vers Tom son visage bronzé où jouait le faible reflet du briquet.

— A quoi est-ce que cela peut bien servir ? demanda-t-elle.

Il haussa les épaules, en touchant les anneaux couverts de rouille mais encore solidement attachés au roc.

— Ils doivent être là depuis très longtemps, affirma-t-il d'une voix qui résonna.

Ils aperçurent un peu plus loin deux tonneaux à moitié pourris et un tunnel étroit qui s'enfonçait dans les ténèbres.

Monica saisit le bras de Tom et voulut l'entraîner.

— Je veux voir où cela conduit. Tiens-moi la lumière plus haut.

Mais Tom voulut la retenir. Il riait légèrement devant son excitation.

— Ecoute, dit-il, ce briquet va bientôt être usé, et nous allons nous retrouver dans l'obscurité totale. La marée va monter, et bientôt la grotte va être submergée.

Monica s'agrippa à son bras, les yeux étincelants.

— Oh ! rien qu'un peu ! juste pour voir où cela mène..., supplia-t-elle.

Tom la devança en souriant et tint le briquet en l'air. Ils marchaient dans l'étroit tunnel qui se baissait progressivement et se rapetissait au fur et à mesure qu'il s'enfonçait dans le promontoire.

Ils aperçurent, soudain devant eux, une porte grillagée qui leur bloquait le passage.

— Je t'en prie, Tom, essayons de l'ouvrir !

Le briquet de Tom faiblit soudain et s'éteignit. Tom étouffa un juron et secoua le briquet violemment. Il sentit que Monica s'approchait de lui. L'obscurité était impénétrable, oppressante. Dans le silence, on entendait la mer progresser et pénétrer la grotte.

— Flûte et reflûte ! lâcha Tom en essayant en vain de rallumer le briquet, qu'il laissa soudain échapper et qui se perdit dans les ténèbres.

Il sentit Monica se blottir contre sa poitrine. Il la pressa contre lui.

— C'est ma faute ! gémit-elle. Je n'aurais pas dû insister...

— Ne t'inquiète pas, murmura-t-il, heureux de la sentir soudain si proche de lui. Nous pourrons aisément retrouver notre chemin, en revenant sur nos pas.

— Mais on n'y voit rien !

— Serre-toi bien contre moi et fais attention de ne pas glisser.

Ils s'avancèrent pas à pas, en se retenant aux parois, pour ne pas trébucher sur le sol en légère déclivité. Leur souffle résonnait. L'humidité transperçait leurs vêtements. Ils avaient l'impression d'avoir été enterrés vivants !

« Est-ce à cela que la mort ressemble ? » se demandait Monica qui sentait sourdre en elle une terreur insurmontable. Elle se rappelait alors toutes les histoires mystérieuses qui entouraient *Seacliff*. Tous les fantômes qui hantaient les rivages et les souterrains...

Dans ces circonstances inquiétantes, elle était plus encline à croire ces légendes... Elle était glacée d'effroi.

Le bras de Tom se resserra autour d'elle.

— N'aie pas peur, la rassura-t-il. Nous allons bientôt sortir.

— Je n'ai pas peur ! j'ai froid, rétorqua Monica pour justifier ses frissons.

La paroi tournait vers la gauche : ils suivirent le mouvement et se retrouvèrent enfin dans la caverne principale.

— Nous en sommes quittes pour la peur ! fit remarquer Tom en riant.

Elle sourit faiblement. Ses lèvres avaient encore un léger tremblement. Elle leva les yeux dans la pénombre vers ceux de Tom. Il la sentait extraordinairement souple dans ses bras : jamais il ne l'avait sentie aussi belle et aussi désirable. Il resserra soudain son étreinte et, l'attirant à ses lèvres, il l'embrassa.

C'était un baiser empreint de tendresse, de douceur, de gentillesse. Monica se laissa embrasser, sa surprise passée, sans opposer de résistance. Dès qu'elle voulut se dégager, Tom la relâcha, à contrecœur.

— J'en avais envie depuis si longtemps..., avoua-t-il. Excuse-moi, Monica.

Dans l'obscurité presque absolue ; le visage de Monica semblait avoir pâli. Tom n'arrivait pas à lire dans ses pensées. Elle ne pensait qu'à une chose : encore une fois, Brent Wakefield avait vu juste !

Tom lui caressa les joues qui étaient glacées.

— Tu as donc été tellement effrayée ? Tu es parfois si innocente... C'est probablement pour cette raison que je t'ai trouvée aussi attirante...

Il soupira, en la regardant tendrement.

— Ne change jamais, Monica. Tu me le promets ?

Ils se regardèrent fixement et, pour la première fois dans leur relation, Monica sentit un malaise entre eux. Elle ne trouvait pas les mots pour exprimer son désarroi.

La montée de la mer vint troubler le silence qui s'était installé entre eux. Tom leva la tête, puis saisit la main de Monica.

— Nous ferions bien de sortir d'ici au plus vite, dit-il en l'entraînant vers la sortie de la grotte.

Monica était étrangement triste, en sentant que leur amitié avait subi un changement définitif. Les ténèbres de la caverne avaient englouti à jamais la simplicité joyeuse de leur relation cordiale et affectueuse.

Le lendemain matin, Tom se leva à l'aube pour prendre l'avion en direction de la France, où il devait passer un mois pour affaires. En un sens, Monica était heureuse de le voir partir pour quelque temps. Elle pourrait réfléchir à leur relation sans être troublée par sa présence. Mais au bout de quelques jours, Tom commença à lui manquer terriblement.

Monica se plongea alors dans son travail à la galerie et passa ses heures de loisir à améliorer la décoration de son pavillon.

Avec son premier salaire, elle acheta quelques gravures et plusieurs coussins aux couleurs gaies pour les jeter sur le canapé du salon. Elle se rendit dans le magasin de tissus indiqué par Mme Wakefield pour se procurer de nouvelles draperies. Elle travailla dans le jardinet, en ratissant et sarclant la terre. Elle alla plusieurs fois nager dans l'Océan, mais elle ne s'aventura plus dans les grottes.

Madame Wakefield fut fidèle à sa promesse : elle ne fit aucune tentative pour empiéter sur la vie privée de Monica, mais un après-midi, pour ne pas paraître trop sauvage, Monica monta sur la terrasse pour prendre le thé avec elle.

Madame Wakefield, qui était en train de lire, leva les yeux et accueillit sa locataire avec un sourire chaleureux.

— Je suis ravie que vous soyez venue, ma chère. Je me demandais justement comment vous alliez. Comment vous êtes-vous installée au pavillon ? Si vous avez besoin de quoi que ce soit, vous n'avez vraiment qu'à me le demander...

Monica évoqua ses diverses activités des derniers jours et finit par parler de sa petite aventure dans les cavernes avec Tom.

La mère de Brent sourit.

— Vous avez donc découvert celle qui menait à la maison ? Mais vous avez bien fait de ne pas trop vous y hasarder, je ne crois pas que cela soit sans danger.

Monica jouait avec l'anse de sa tasse : en se remémorant le froid angoissant de la grotte, elle ne put réprimer un frisson.

— On m'a dit que vous aviez fini par rencontrer Nathalie Wyatt... dit doucement Mme Wakefield, en dévisageant Monica.

Monica détourna les yeux et observa la surface scintillante de l'eau de la piscine.

— Elle est très belle, murmura-t-elle, d'une voix presque atone.

Madame Wakefield scruta la jeune femme assise de l'autre côté de la table de jardin. Elle pensait, avec raison, que Monica n'avait pas lieu de se sentir inférieure à Nathalie. Ses cheveux bruns scintillaient et jetaient des reflets auburn, et son teint, d'une rare délicatesse, avait doré sous le soleil. Elle imagina l'apparence de la jeune femme en maillot de bain, et sourit avec satisfaction. Monica avait un corps élancé et de très longues jambes : elle n'avait pas l'apparence désincarnée, artificielle de

Nathalie. « Non, se dit Mme Wakefield, Nathalie n'était faite que pour les couvertures des magazines de mode, tandis que Monica avait cette présence charnelle et pulpeuse qu'un homme recherche chez une femme. »

Satisfaite de son examen intérieur, Mme Wakefield sourit avec bienveillance à Monica.

— Et qui était la cliente pour laquelle Nathalie vous a fait venir de la galerie ?

— Une certaine madame Lipstead.

— Madame Lipstead ! s'écria Mme Wakefield, en éclatant de rire, avec une expression d'ironie amère. Mais Pat Lipstead est une vieille amie de Nathalie : elle la connaissait quand elle vivait à New York, c'était une cliente de sa précédente société !

Madame Wakefield resservit du thé et poursuivit :

— Nathalie, expliqua-t-elle, a été réceptionniste dans une des plus grandes galeries de vente aux enchères du pays, à New York. C'est là qu'elle a rencontré Henry Wyatt.

» Peu après, Nathalie s'est mariée avec Henry, et ils se sont installés au cap. Pat Lipstead n'a pas tardé à acheter une maison de vacances ici. Nathalie, si vous voulez, est la protégée de Pat qui porte un intérêt très maternel au bien-être de Nathalie...

— En effet, elles échangeaient des regards complices pendant toute mon entrevue.

— J'espère qu'elles n'ont pas été trop pénibles avec vous, dit Mme Wakefield avec un regard plein de sympathie.

Monica ouvrit la bouche, sur le point de se confier, mais elle estima plus prudent d'être discrète et elle se contenta de secouer la tête, en déclarant :

— Madame Wyatt m'a appris des choses intéressantes sur le pavillon, mais je ne sais pas si ce n'était pas dans le dessein de m'effrayer, ajouta-t-elle avec un petit rire.

— Ah oui ? Quelles sortes de choses ? demanda Mme Wakefield en plissant les yeux.

— Elle m'a parlé d'une jeune femme qui avait été assassinée au début du siècle et d'un bébé qui était mort dans des circonstances mystérieuses, il y a une trentaine d'années.

Madame Wakefield commença par froncer les sourcils et sembla irritée ; mais elle recouvra son sourire et déclara avec simplicité :

— Cette histoire peut paraître bizarre, n'est-ce pas ? Mais les deux morts ont une explication logique.

Elle s'enfonça dans son fauteuil et alluma une cigarette. Elle parcourut du regard la pelouse, et ses yeux s'arrêtèrent sur le bouleau qui cachait en partie le pavillon.

— Le premier accident s'est produit avant ma naissance, mais j'en connais les circonstances. Le pavillon était loué à un couple du village, à cette époque. Le jeune mari était un pêcheur et partait souvent en mer. Sa femme, que ces fréquentes séparations lassaient, prit un amant. Une nuit, le mari revint à l'improviste et les surprit ensemble. Il a tenté de les tuer tous les deux. L'amant a survécu, mais la femme est morte au bout de quelques jours.

Elle tapota le bout de sa cigarette sur le cendrier et poursuivit :

— J'étais là, en revanche, quand l'autre accident s'est produit. Un bien triste événement, vraiment. Le couple qui louait le pavillon, à cette époque, était plus âgé et n'avait pas d'enfant. Et quand, enfin, la femme est tombée enceinte, nous étions tous très contents pour elle. Le bébé, un garçon, était robuste et vigoureux et paraissait en parfaite santé pendant les deux premiers mois. Un matin, la mère l'a trouvé mort dans le berceau.

Son regard se perdit soudain dans le lointain, comme si elle revivait cette époque.

— Nous avions tous le cœur brisé pour eux, et nous étions vraiment désespérés. Cet enfant qui semblait se porter si bien, est mort, du jour au lendemain. (Elle eut un geste d'impuissance.) Le plus terrible, c'est que le médecin n'a trouvé aucune explication satisfaisante de sa mort.

Elle soupira et écrasa sa cigarette.

— Naturellement, poursuivit-elle, maintenant la médecine a progressé, et peut répondre à de nombreuses questions. Mais la mère s'est accusée : elle s'est sentie coupable d'une négligence à l'égard de son enfant. La dernière fois que j'ai entendu parler d'elle, elle avait été internée dans un hôpital psychiatrique.

— C'est horrible ! laissa échapper Monica.

— C'est triste, oui. Mais il n'y a aucun mystère. C'est faire preuve d'un incroyable manque de délicatesse, que de vous effrayer comme l'a fait Nathalie, ajouta Mme Wakefield en prenant la main de Monica. Vous savez, ma petite, quand une maison a duré aussi longtemps — et cela fait maintenant plus de deux siècles ! —, elle a nécessairement dans son passé des moments de bonheur et des moments de malheur. Il n'y a rien de maudit dans cet endroit ! ajouta-t-elle avec insistance. Ce n'est vraiment qu'une absurdité !

— Je n'ai pas peur de vivre dans ce pavillon, dit Monica pour rassurer Mme Wakefield. Mais je préfère être au courant de cette histoire. J'avoue que j'ai été un peu... secouée !

— C'est bien pour cela qu'on vous a raconté ces balivernes ! répliqua Mme Wakefield avec colère.

Gênée, Monica regarda le bout de ses doigts. Quoi qu'il en fût, l'explication de Sara Wakefield la soulageait grandement. La pensée qu'il y avait eu deux morts dans ce pavillon l'avait plongée dans un certain malaise, pour le moins. Elle avait tout d'abord pensé interroger Tom, mais elle y avait renoncé, dans la crainte qu'il ne réagît mal. Cela lui aurait donné une nouvelle raison de répéter : « Je t'avais dit de ne pas t'y installer ! »

Elles terminèrent leur thé, et Monica se leva pour se retirer. Madame Wakefield l'accompagna jusqu'au bord de la terrasse.

— Il paraît que Tom nous a encore quittés ? demanda-t-elle, en scrutant le visage de Monica, qui trahit son trouble.

— Oui, il ne reviendra pas avant un mois.

— Il vous manque ?

Monica hocha la tête.

— Etes-vous amoureuse de Tom, ma petite ?

Cette question, prononcée sur un ton de bienveillance et de douceur, prit Monica au dépourvu. Elle leva les yeux vers son hôtesse restée en haut des marches de la terrasse. Elle hésita. Et, dans le silence soudain qui s'était installé entre elles, Monica entendit des pas sur la terrasse : une servante s'avançait pour avertir Mme Wakefield qu'on l'appelait au téléphone.

Cette dernière s'excusa et se retira brusquement, sans attendre la réponse à la question qu'elle avait posée.

Monica prit lentement le chemin qui menait au pavillon. La pelouse descendait en pente douce, après un bosquet de bouleaux magnifiques, jusqu'à la maison qui n'était pas très loin du bord de la falaise.

La lumière du crépuscule était dorée : elle baignait entièrement le paysage. Le ciel était embrasé. Il faisait de plus en plus chaud, ces derniers jours : une humidité orageuse agaçait les nerfs de ceux qui n'étaient pas habitués à ce climat.

Depuis quand n'avait-il pas plu ? Elle ne se rappelait qu'une seule journée de pluie depuis son arrivée aux Etats-Unis.

Comme elle approchait de la maison, elle remarqua que les fleurs dans le jardinet et dans les pots sous les fenêtres étaient lamentablement inclinées, comme si elles étaient épuisées. Elle s'arrêta pour les examiner et aperçut quelques traînées olivâtres sur les feuilles.

Monica avait une envie folle de prendre une douche, mais elle se dit qu'elle pouvait attendre, tandis que le jardin ne le pouvait plus. Elle alla derrière le pavillon chercher le tuyau d'arrosage enroulé sur un tourniquet qu'elle déroula. Elle ouvrit le robinet, et commença à arroser les fleurs.

Son chemisier était trempé et collait à sa poitrine. Son pantalon, également moite, lui serrait les cuisses, ce qui était loin d'être plaisant.

Quand elle eut suffisamment arrosé le jardin, elle entra dans le pavillon, où la chaleur était encore plus étouffante. Elle alla prendre son maillot de bain dans le placard de sa chambre. Quelques secondes plus tard, elle se dirigeait vers la plage.

Elle n'entendit pas le taxi qui roulait vers *Seacliff*, et du reste, même si elle l'avait entendu, elle ne se serait pas arrêtée et elle ne s'en serait pas souciée. Le corps ruisselant de sueur, Monica n'avait qu'un désir : plonger dans la mer...

CHAPITRE VIII

Le contact de l'eau fraîche sur sa peau brûlante créa, en Monica, une sensation délicieuse : la mer était toujours un peu plus froide en Nouvelle-Angleterre, même en plein été.

Elle nagea vers le large et pour se reposer, elle fit la planche, se laissant doucement porter par les vagues. Elle contemplait le ciel cuivré, émaillé de nuages moutonneux et, au loin sur la gauche, l'ombre de la falaise, dont les blancheurs commençaient à prendre les nuances indigo du soleil qui mourait à l'horizon.

Elle avait l'impression d'être la seule femme de l'univers. Elle se sentait parfaitement heureuse, avec les mouettes pour témoins au-dessus de sa tête. Et les créatures silencieuses des fonds sous-marins rôdaient tranquillement sous elle.

— Voilà ce qui s'appelle être libre ! cria-t-elle. Voilà ce qui s'appelle être heureux !

Elle lança les bras en l'air, dans un geste exubérant de bonheur. Elle plongea profondément, à l'endroit où le turquoise de l'eau gagne des teintes nocturnes. Puis, elle remonta à la surface, le corps étincelant dans un jaillissement de bulles argentées.

Elle jouait avec son corps comme un jeune dauphin rendu à la liberté. Aucun regard humain ne l'observait. Elle savait que toutes les plages étaient privées ici et elle ne craignait aucune indiscrétion. Madame Wakefield avait passé l'âge de se baigner et Brent n'était pas attendu avant le lendemain.

La mer, le ciel, l'univers entier lui appartenaient : elle voulait en jouir le plus longtemps possible même après la disparition du soleil en deçà de l'horizon. Rien ne pourrait désormais l'arracher à son seul monde de l'instant, la mer...

Elle s'était retournée sur le dos, pour faire la planche. Elle avait fermé les yeux. La pénombre de la nuit commençait à envelopper le dernier éclat des fleurs du jardinet.

« Etes-vous amoureuse de Tom ? »

La question, qui lui avait été posée peu de temps auparavant, renvoyait son écho, troublant sa quiétude.

« Etes-vous amoureuse de Tom ? » Non, elle ne pensait pas l'être.

Elle repensait au moment de crainte qu'ils avaient partagé dans l'obscurité de la caverne. Tom était parvenu à lui redonner courage. Elle avait été heureuse de sentir sa présence réconfortante. Et elle n'avait éprouvé aucun déplaisir à se laisser embrasser par lui.

Mais l'amour, dans tout cela ?

Que savait-elle de l'amour ? Elle l'avait sans doute vaguement approché, quand elle se pensait amoureuse de Gerald Rowland qui la poursuivait de son insistance. Il n'était pas désagréable de se sentir courtisée par un jeune homme beau et séduisant.

Mais non, en aucun cas, il ne pouvait s'être agi d'amour !

Monica frissonna soudain. Le crépuscule tombait, et elle avait froid. Elle se remit à nager et se rendit compte que la plage était assez loin. Elle apercevait l'ombre menaçante de la falaise et du promontoire.

Quand elle eut pied, elle marcha vers la rive, son corps sortant progressivement de l'eau, ruisselant. Le bleu pâle de son bikini semblait blanc dans l'obscurité, par contraste avec l'ambre cuivré de sa peau scintillante de gouttelettes.

Elle se dirigea, sur le sable, jusqu'à l'endroit où elle avait laissé sa serviette qu'elle ramassa. En se relevant, son regard fut attiré par la caverne, et le tunnel qu'elle recelait. Mais elle eut l'impression que, ce soir-là, il y avait quelque chose d'anormal.

Il y avait une silhouette, dans l'ombre, très distincte !

Monica resta immobile, sa serviette à la main. Elle essaya d'écarquiller les yeux pour mieux distinguer la silhouette.

Elle recouvra soudain ses esprits et, laissant tomber à terre sa serviette, elle se précipita vers le pavillon.

Tandis qu'elle montait les marches quatre à quatre, elle entendit, derrière elle, des pas se rapprocher. Elle pensait que son poursuivant l'appelait, mais elle ne se retourna pas.

Elle saisit la poignée du portail et courut dans le jardin.

Un main puissante lui attrapa la cheville, et elle poussa un hurlement de terreur. Elle perdit l'équilibre et s'écroula.

Elle se retrouva entre des bras virils qui l'enserrèrent contre une poitrine large et musclée.

Monica se sentait prise au piège, terrifiée. Elle rejeta la tête en arrière, et poussa un cri, quand elle aperçut enfin le visage de son agresseur.

Il la regardait en riant doucement, des reflets jouaient sur son visage, dans la pénombre. Elle vit surtout l'éclat moqueur de ses yeux d'acier.

— Pourquoi avez-vous eu aussi peur ? demanda doucement Brent Wakefield.

Par contrecoup à sa terreur, sa force l'abandonna : elle se laissa aller contre la poitrine de Brent.

— Qu'est-ce qui vous a pris de m'effrayer ainsi ?

murmura-t-elle dans un souffle, la gorge encore nouée, tandis qu'elle se débattait contre son étreinte.

— Je n'avais pas l'intention de vous effrayer.

— Eh bien, vous m'avez fait peur, figurez-vous !

Elle se rendait compte qu'elle s'était conduite comme une enfant hystérique. Mais elle ne pouvait rien contre ce sentiment menaçant, en présence de cet homme fort, autoritaire, qui semblait tenir sa vie entre ses mains. Elle était déchirée entre la terreur qui ne l'avait pas encore abandonnée et un sentiment d'étrange excitation.

Mais le silence la mettait encore plus mal à l'aise, sous le regard insistant de Brent, qui observait chaque parcelle de sa peau nue.

Elle ne pouvait le tolérer.

— Pourquoi vous êtes-vous caché dans la caverne ? lâcha-t-elle, avec fureur.

— Je ne me cachais pas, répondit Brent d'une voix parfaitement posée.

La pénombre donnait, à son visage, une expression agressive de prédateur : Monica eut un soudain sentiment de détresse et de vulnérabilité. Elle se sentait sur le point de céder à son étreinte mais se ressaisit.

— Vous auriez dû manifester plus nettement votre présence ! insista-t-elle. C'est une très mauvaise plaisanterie !

Il ne répondit pas tout de suite et se contenta de la dévisager avec une telle intensité qu'elle ébranla Monica. Est-ce qu'il entendait battre son cœur ? Percevait-il le frémissement de tout son corps ?

— Ce n'est pas une plaisanterie, ma petite, fit-il, impassible, en serrant les mâchoires. Je suis rentré il y a une heure environ et j'ai décidé d'aller me baigner, comme je le fais souvent le soir. Je suis donc descendu sur la plage et... je vous y ai trouvée. En effet, je vous ai

observée, mais je n'ai aucune excuse à vous faire pour
cela.

Involontairement, elle laissa son regard se poser sur
les épaules puissantes et la poitrine brune et musclée de
Brent. Elle aurait été prête à fermer les yeux et à se blottir contre ce corps athlétique et protecteur. Il représentait soudain tout le monde fascinant que lui avait permis d'entrevoir Tom Lindquist sans le lui offrir réellement...

« Laisse-moi toute seule, Brent Wakefield ! disait en
elle une voix. Et cesse de me regarder avec cette ardeur
dans les yeux ! »

— Je suis désolé de vous avoir effrayée, Monica,
affirma Brent en desserrant son étreinte. Je ne voulais
vraiment pas vous faire peur. Mais, maintenant, pourquoi restez-vous aussi tendue ?

Elle chercha désespérément une réponse qui ne la
trahirait pas.

— Je ne suis pas tendue, quelle idée ! rétorqua-t-elle
en essayant en vain de se dégager.

Il gardait ses mains contre sa peau nue. Il lui enser-
rait la taille.

— Alors, c'est vous-même qui avez de l'imagination,
ma chère, et qui vous complaisez dans la terreur, parce
que vous êtes toute tremblante.

Il l'attira encore plus près de lui. Il la força à le regarder dans les yeux, en pressant une main sous sa nuque
et l'autre contre son dos. Monica ne parvenait pas à
échapper à ce contact lancinant.

Elle était assourdie par le battement de son cœur et
de ses tempes. Elle sentit des lèvres se presser contre
les siennes.

Ses genoux se dérobèrent sous elle : elle serait tombée sans les bras vigoureux qui la retenaient. Tandis
que leurs souffles se mêlaient, elle était envahie d'un
sentiment d'irréalité et de plaisir grandissant.

Mais le bruit de la chute d'un caillou la ramena à la réalité : elle recouvra suffisamment de force pour s'opposer à lui.

Il la relâcha brusquement, et elle fit un pas en arrière. Ils gardaient les yeux fixés l'un sur l'autre. Il eut un sourire ironique qui découvrit ses dents étincelantes.

— La jeune innocente, séduite !... railla-t-il. Une jeune femme qui ne veut pas accepter son pouvoir de séduction. Qui a peur d'elle-même !

— Comment osez-vous me parler ainsi ?

— J'ose beaucoup de choses, ma chère. Pourquoi avez-vous tant de craintes ?...

Brent fit un pas vers elle : elle se prépara à lui résister, mais son corps la trahit, se refusant au moindre geste alors que Brent tendait les mains vers elle. A cet instant, ils entendirent, au loin sur la plage, un caillou crisser sous des pas. Monica regarda vivement derrière elle et aperçut une ombre se mouvoir au loin et disparaître derrière la masse d'un rocher en direction de la maison principale.

— Il y a quelqu'un là-bas ! murmura-t-elle.

Il suivit la direction de son doigt. Il plissa les yeux pour essayer de discerner quelque chose dans l'obscurité, mais au bout d'un instant, il éclata de rire en secouant la tête.

— C'est votre imagination qui travaille. Il n'y a personne, c'est une plage privée !

Elle ramassa la serviette qu'elle avait laissé tomber à terre, la secoua pour enlever le sable et s'en couvrit les épaules. Etrangement, elle se sentit davantage en sécurité, mais contre quoi ?

— J'ai vu une ombre près de ces rochers, dit-elle en le regardant froidement.

— Un fantôme ? ironisa-t-il.

Elle lui tourna le dos et se dirigea vers les marches

de pierre sans se retourner, mais au bout de quelques secondes, elle l'entendit qui la suivait.

— Venez sur la terrasse avec moi prendre un verre, demanda-t-il.

— Allez au diable ! lâcha-t-elle, avec assurance, sans que sa voix, fort heureusement, trahît son trouble intérieur.

— Je pourrais vous licencier pour cette insolence ! répondit-il en éclatant de rire.

— Eh bien, je vous épargnerai cette peine : je démissionne !

Il secoua la tête, comme par exaspération.

— Toujours vos caprices de petite fille, à ce que je vois...

C'était la goutte qui fit déborder le vase.

— Ecoutez ! dit-elle en le fixant ; tout à l'heure, sur la plage, vous avez dit que j'étais une femme. Maintenant, me voici redevenue une petite fille. Etes-vous toujours aussi flottant dans vos opinions ?

— Femme ou petite fille ! à vous de choisir ! lança-t-il, les yeux captant la lumière de la petite lanterne de l'allée du jardin. Une femme serait capable d'oublier notre petit... différend et viendrait prendre un verre avec moi. Une petite fille aurait peur et prendrait la fuite en courant.

— Je n'ai pas peur de vous, Brent Wakefield.

— Eh bien, suivez-moi, fit-il en la prenant par le bras et en l'entraînant sur la terrasse, tandis qu'elle étouffait ses protestations intérieures. Du reste, ajouta-t-il en lui présentant un siège et en appuyant sur un bouton pour appeler une servante, j'ai quelque chose d'important à vous dire.

Elle lui lança un regard acéré et inquisiteur qui le fit sourire.

— Strictement professionnel, précisa-t-il. Détendez-vous.

Il s'enfonça dans un fauteuil face à elle et ne cessa de sourire en la scrutant. Elle se rendit compte soudain de l'état dans lequel elle était : une serviette humide autour des épaules, des cheveux frisés par le sel marin et ébouriffés, les lèvres encore brûlantes du baiser qu'elles venaient de recevoir. Pourquoi avait-elle cédé à ses arguties spécieuses ? Malgré elle, il arrivait à ses fins, et il semblait triompher !

Brent commanda des cocktails à la servante qui apparut.

— Et je vous prie d'apporter un peignoir pour mademoiselle Nelson, ajouta-t-il.

Monica se mordit les lèvres, en resserrant sa serviette sur ses épaules.

La servante revint avec le vêtement que Brent mit sur les épaules de Monica. Elle lui tourna le dos aussitôt et essaya d'échapper au contact de ses mains, tandis qu'il l'aidait à enfiler les manches.

— De quoi vouliez-vous me parler ? demanda-t-elle en se rasseyant.

La lueur ironique qui éclairait jusqu'ici le regard de Brent Wakefield s'éteignit, et ses yeux devinrent plus sérieux : bien qu'il n'eût pas fait un mouvement, elle avait l'impression qu'il s'était éloigné d'elle.

Elle se sentait soulagée : pour la première fois depuis une heure, elle pouvait respirer librement. La tension nerveuse dont elle était jusqu'alors la proie l'abandonnait.

Comme Brent avait commencé à parler affaires, Monica lui demanda naturellement comment s'était passé son voyage dans le sud.

— Très bien, répliqua-t-il, mais en fronçant les sourcils. C'est à ce propos que je voudrais vous parler...

Clemson, la société qu'il était allé voir, semblait tout à fait intéressée par l'achat d'antiquités appartenant à Wakefield, mais les responsables de cette société refusaient de faire des commandes sans avoir vu les objets.

— Clemson, lui-même, et son agent chargé des achats, Edwin Fortson, viendront ici le vingt juillet, dans deux semaines environ. Il faut que toutes les marchandises soient sous leur meilleur jour. C'est un homme d'affaires expert en la matière, et il ne laissera rien passer. Il faut se préparer à son inspection.

— Qu'attendez-vous de moi exactement ? demanda Monica.

— Faites tout nettoyer. Arrangez la galerie au mieux pour que toutes les pièces soient mises en valeur. Vérifiez les stocks dans les entrepôts. Demandez à John et à Glen de sortir toutes les pièces de l'époque victorienne, puisque c'est la marotte de Clemson. Et par ailleurs, ajouta-t-il, avec un sourire, soyez belle, charmeuse et faites preuve de tout votre savoir-faire.

— Je ferai de mon mieux, répliqua-t-elle assez sèchement.

Il hocha la tête d'un air absent et prit son verre en remuant les glaçons. Il semblait très préoccupé.

— Est-ce que Clemson risque de devenir un client important ? demanda-t-elle.

— Un client important ? s'écria-t-il. Mais Clemson dirige le plus important magasin d'antiquités de la côte est ! Je veux qu'il devienne notre client. J'en ai besoin. Nous devons tout faire pour le séduire.

Monica était effrayée par la détermination de son patron, mais en y réfléchissant bien, n'était-ce pas là une occasion pour elle de prouver sa compétence ?

— Ecoutez, Monica, ajouta Brent, avec un soupir, il faut que je vous avoue quelque chose...

— Oui ?

— Après la mort de Wyatt, l'affaire était au bord de la faillite. Mon père, dit-il avec un sourire affectueux, n'avait pas la même envergure que Wyatt dans les affaires. Il y a eu une certaine confusion pendant quelque temps : on ne prenait plus de commandes, les factures n'étaient plus tenues à jour... Mon père s'entourait d'individus... peu recommandables.

Il prit une gorgée de son cocktail et poursuivit :

— Pour ne pas trop s'étendre sur cette sordide histoire, mon père a fini par me demander de m'associer avec lui pour essayer de sauver l'affaire. Il n'a pas tardé à mourir d'un crise cardiaque, et j'ai tout eu sur les bras.

Monica écoutait avec une surprise croissante et non sans sympathie : elle aussi, elle avait « tout eu sur les bras », quand son père était tombé malade et qu'elle avait repris l'affaire. Elle comprenait très bien la situation dans laquelle Brent s'était trouvé.

— Ces trois dernières années ont été difficiles, poursuivit Brent. J'ai dû me conduire de manière souvent ingrate... j'ai parfois licencié le personnel inutile. Je me suis fait quelques ennemis, ce qui, je pense, est inévitable, mais je pense que nous commençons à nous en sortir. Si nous parvenions à décrocher un contrat avec Clemson, cela nous aiderait considérablement. Il ne faut pas laisser cette chance glisser entre nos doigts.

« Est-ce qu'il la mettait en garde ? se demanda Monica, avec gêne. Devait-elle comprendre qu'il s'attendait à la voir mettre les bouchées doubles ? »

— Je ferai tout mon possible, affirma Monica pour le rassurer.

Si elle réussissait à lui faire décrocher le contrat avec Clemson, ce serait peut-être un premier pas pour se faire pardonner sa maladresse avec le vase. Et elle commençait à comprendre l'étendue de sa faute et de sa dette à son égard, maintenant qu'elle connaissait mieux la situation. C'était un choc pour elle de découvrir que la société était moins prospère qu'elle ne l'avait imaginé.

— Ne nous tracassez pas trop, dit-il en souriant. Je suis certain que tout marchera à merveille. J'ai la plus grande confiance dans mes employés, y compris vous,

Monica Nelson. Alors, je vous en prie, détendez-vous. C'est simplement un pari à tenir.

« Plus qu'un pari, c'est une victoire à remporter, » rectifia Monica en son for intérieur.

— Aussi... poursuivit-il, avec un éclat moqueur dans ses yeux, vous m'aviez dit une fois qu'avec votre expérience dans le domaine des affaires, vous sauriez m'enseigner une chose ou deux. A vous de jouer !

Monica était sur le point de répliquer, quand elle entendit un bruit derrière elle, venant de la porte de la terrasse. Ils se retournèrent tous les deux, pour apercevoir Nathalie Wyatt : sa chevelure de jais contrastait extraordinairement avec sa robe du soir de soie blanche. Monica, le cœur serré, devait admettre l'imcomparable fascination que cette vision pouvait créer.

Nathalie vint se placer derrière le fauteuil de Brent et glissa ses mains autour de son cou, de manière possessive.

— Nous devons dîner ensemble dans exactement cinq minutes, j'espère que tu n'as pas oublié ? demanda-t-elle.

De ses yeux d'émeraude, elle lança un regard froid dans la direction de Monica.

Brent posa une main hâlée sur les petits doigts pâles de Nathalie autour de son cou et déclara avec douceur :

— Je parlais avec Monica de ma visite chez Clemson, et nous examinions l'affaire.

Nathalie eut un petit rire clair et cristallin comme l'eau d'une fontaine.

— Assez travaillé pour aujourd'hui, mon chéri. Il est temps de se détendre un peu.

Et elle se pencha sur la joue de Brent, où elle déposa un baiser léger.

CHAPITRE IX

Quand Monica retourna dans son petit pavillon, elle ne savait pas la raison de sa soudaine mélancolie. Que ferait-elle de cette soirée ? Elle erra dans le pavillon, allumant une lampe, rangeant un objet, prenant une revue, la feuilletant et l'abandonnant.

Elle se prépara un sandwich mais se sentit rassasiée dès la première bouchée.

Par la fenêtre, elle aperçut le coupé gris métallisé filer dans l'allée, en direction de la ville. Nathalie et Brent allaient passer la soirée ensemble, en amoureux...

Monica se sentit soudain faiblir et appuya son visage brûlant contre la vitre, en se retenant aux montants de la fenêtre. Elle ferma les yeux. Elle ne cessait de ressasser la même pensée :

« Nathalie Wyatt, la passion de Wakefield ! »

Quel couple parfait, ils formaient ensemble ! Combien ils se convenaient l'un à l'autre !

Tandis qu'elle...

Mais qu'avait-elle à voir avec tout cela ? Elle n'était qu'une employée, et qui, en plus, posait des problèmes ! Elle ne pouvait pas espérer d'autre place dans sa vie, que celle d'une subalterne consciencieuse méritant le salaire qu'on lui versait...

Mais ce baiser dérobé sur la plage, que représentait-il pour Brent Wakefield ?

Elle essaya d'interpréter cyniquement ce geste : il

l'avait fait sans y penser ! Ce sont de ces actions commandées par les circonstances, sur l'intuition du moment. Ce baiser n'avait aucune signification sérieuse. Parfois, un homme embrasse une femme, parce qu'il a le besoin soudain de se sentir en intimité avec elle : mais c'est une passade, rien de plus.

Mais alors, pourquoi y pensait-elle autant ? Pourquoi ne cessait-elle de revivre cet instant ?

Un baiser volé, ce n'était pas grand-chose ! D'autres hommes l'avaient embrassée, sans qu'elle s'en fît tout un monde : cela n'avait aucune valeur pour elle, comme assurément cela n'avait eu aucune importance, ce soir-là, pour Brent Wakefield.

Eh bien, Brent Wakefield n'avait qu'à s'en tenir là. Il n'avait pas d'autres exigences que professionnelles à avoir. Il n'avait aucun droit de lui déclarer insolemment : « Vous êtes une femme, que vous le vouliez ou non ! Une femme qui ne veut pas admettre son pouvoir de séduction. »

Qu'entendait-il exactement par-là ?

Désirant oublier ses préoccupations, Monica alla prendre une douche et laver ses cheveux. Elle revint dans le salon, vêtue d'un peignoir en tissu éponge. Elle se recroquevilla sur le canapé et alluma le téléviseur.

Elle essaya désespérément de s'intéresser au film d'espionnage qui était au programme, mais ses pensées ne tardèrent pas à vagabonder. Elle pensa à Tom Lindquist : comment son voyage se déroulait-il ? Sa présence rassurante et sympathique lui aurait été précieuse. Elle aurait recouvré une certaine décontraction et le sourire.

« Cher Tom, pensa-t-elle, je t'aime vraiment. Oui, vraiment. »

Elle essayait de se convaincre. Elle renversa la tête sur le dossier du canapé, ferma les yeux, en se représentant la tendresse, la douceur, les sourires de Tom, son baiser...

Et aussitôt après, elle eut le souvenir brûlant d'un autre baiser, si différent...

Elle ouvrit brutalement les yeux et fixa le plafond, en déclarant avec une sorte de détresse :

— Je t'aime, Tom Lindquist !

Mais c'étaient les mains de Brent Wakefield qu'elle sentait autour de sa taille, les lèvres de Brent Wakefield qui se posaient sur les siennes, la voix de Brent Wakefield qu'elle entendait encore : « Soyez une femme ! »

Monica cacha son visage entre ses mains tremblantes et commença à pleurer pitoyablement.

De quel droit cet homme l'avait-il ainsi éprouvée ?

Dès la semaine suivante, Monica fut plongée dans d'absorbants préparatifs pour la visite de Clemson. On fit appel à tous les services, et la tension monta dans tous les bureaux.

Mais, en dépit de cette activité exceptionnelle, il fallait continuer le travail quotidien. Monica restait à la galerie de huit heures du matin à huit heures du soir : elle rentrait au pavillon, absolument épuisée, mentalement et physiquement, et se contentait d'un repas frugal avant d'aller au lit. Elle s'endormait aussitôt et, heureusement, son sommeil n'était troublé d'aucun mauvais rêve.

Un jour, Rose Cardiff déclara :

— Il est temps pour vous de sortir pour rencontrer d'autres personnes. Vous ne pouvez pas rentrer chez vous directement après le travail ! c'est mortel ! Je fais un barbecue chez moi dimanche, et j'aimerais vous avoir avec nous.

Rose et son mari possédaient une demeure agréable dans les faubourgs de la ville, qui donnait sur le golfe de Sutton Point. Quand, ce dimanche-là, Monica se présenta dans leur jardin, sous un soleil éclatant, il y avait une petite foule joyeuse et détendue.

Rose se chargea de présenter Monica à tous les invités. La plupart était jeune, à peu près de son âge, et elle répondit à leurs questions curieuses sur l'Angleterre, avec beaucoup de sympathie.

Todd Robinson, le neveu de Rose, ne lâcha pas Monica d'une semelle. C'était un jeune avocat, dont le bureau se trouvait à Boston, où il vivait durant la semaine : il revenait à Cap Cod, le week-end pour y retrouver ses parents.

Todd était grand, blond, décontracté. Il apporta une assiette pleine à Monica, et ils s'assirent sous un érable géant pour manger.

Sentant qu'il la regardait, Monica se tourna vers Todd, en souriant.

— Tante Rose n'exagérait pas du tout : vous êtes ravissante !

— Merci, répondit Monica, en rougissant légèrement.

— Je n'avais pas vraiment envie de venir ici, aujourd'hui, admit-il avec un sourire. Au bout d'une douzaine de pique-niques, on commence à se lasser, et vous savez comment les tantes sont parfois... de véritables marieuses ! Habituellement, la pauvre fille qui vous est présentée est tout aussi embarrassée que vous... Mais cette fois-ci, c'est différent et, pour ma part, je dois dire que je suis ravi d'être venu.

Monica se sentait flattée.

— Moi aussi, avoua-t-elle. Je ne me suis jamais rendue à ce genre de parties et... c'est-à-dire que je ne savais pas du tout à quoi m'attendre.

— Est-ce que vous aimez faire de la voile ?

— Je n'ai jamais essayé, mais je suis sûre que cela me plairait beaucoup.

— Eh bien, si vous n'avez pas de projets pour

samedi prochain, je vous ferai faire un petit tour en voilier dans la baie, nous pourrons même aller jusqu'à Kennedy Compound et même, si le temps le permet, pousser jusqu'au Vignoble de Martha. Je suis certain que cela vous enchantera.

— Le Vignoble de Martha ?

— C'est une île au large, très pittoresque et non polluée. Il y a quelques vieilles maisons charmantes, et les plages méritent le déplacement : on a tourné le film *les Dents de la mer* dans cet endroit.

— Des requins ! s'écria Monica, en frémissant.

Todd éclata de rire et prit la main de Monica entre les siennes.

— Il n'y a aucun requin, n'ayez crainte ! C'était un truquage... Evidemment, si vous vous baignez vraiment très loin de la côte, vous risquez d'en trouver un ou deux... Il m'arrive d'en apercevoir du bateau. Mais ils ne s'approchent jamais des côtes. Ne vous inquiétez pas.

Monica était assez excitée à l'idée de cette promenade en mer. Elle avait, depuis son arrivée, bien des fois aperçu au loin des voiliers sous le soleil et envié leurs occupants. Elle était ravie d'avoir la chance de les imiter.

— Quelle sorte de voilier avez-vous ? demanda-t-elle, en posant son assiette vide sur la pelouse.

— Il est assez petit, mais il suffit à mes besoins. Je suis un marin du dimanche, vous savez !

— J'adore la mer et j'ai très envie de faire cette promenade, même si les requins nous accompagnent !...

Après leur repas, ils jouèrent au badminton, puis allèrent nager dans la piscine privée de Rose. Comme ils sortaient de l'eau, Rose se précipita vers Monica qu'elle prit par la main.

— Il y a quelqu'un qui aimerait vous rencontrer, murmura-t-elle.

Monica enfila un peignoir rose et se fit conduire

jusqu'à une table où était assis un homme entre deux
âges, un verre à la main.

— Fred, je vous présente notre nouvelle collègue à la
galerie, Monica Nelson, qui est anglaise. Elle a beau
paraître très jeune, elle a une remarquable expérience en
antiquités.

Rose s'avançait, un bras autour de la taille de
Monica.

— Monica, je vous présente Fred Caplan. Fred a été
le bras droit de Charlie Wakefield pendant près de vingt
ans.

Monica prit place à cette table : elle se sentait dévisa-
gée par des yeux clairs, cernés. Fred Caplan avait une
cinquantaine d'années, il était chauve. Son corps lourd
et flapi apparaissait dans la tenue de bain qu'il portait :
il avait la peau tannée et ravinée par le soleil et l'âge.

Il servit une boisson fraîche à Monica.

— Vous êtes donc la dernière trouvaille de Wakefield ? Que pensez-vous de votre travail ?

Le ton désabusé qu'adoptait Caplan invitait Monica
à se tenir sur ses gardes.

— Il me plaît beaucoup, lui répondit-elle. C'est plus
ou moins le même travail que je faisais à Londres. Bien
entendu, monsieur Wakefield a ses propres méthodes...

Le rire de Caplan couvrit la fin de sa phrase.

— Ça, vous pouvez le dire ! Personne ne sait s'organiser comme cette vieille fripouille ! Depuis quand êtes-
vous dans les affaires ? ajouta-t-il en acérant son regard.

Elle haussa les épaules, avec un petit sourire.

— Depuis ma naissance, pour ainsi dire. J'ai été éle-
vée au milieu d'antiquités, j'aidais mon père pendant les
vacances scolaires et puis je l'ai remplacé à plein temps,
il y a six ans.

— Voilà qui vous donne un avantage sur votre
patron. Son père, Charlie, ne voulait pas qu'il y mît son

nez. Il y a encore quatre ans, Brent aurait été incapable de vous dire la différence entre un Chippendale et un objet de manufacture moderne danoise... Du reste, il ne peut certainement pas encore, ajouta-t-il.

Monica commençait à se sentir très mal à l'aise.

Caplan se resservit à boire.

— Charlie Wakefield, ça, c'était un autre homme ! Le type le plus formidable qu'on puisse rencontrer ! Il s'y connaissait, lui, en antiquités... On ne risquait pas de le berner, bien qu'on ait essayé de le faire, dit-il en secouant la tête, avec un triste sourire. Charlie pouvait rivaliser avec les meilleurs connaisseurs et il était sûr d'être le premier à la ligne d'arrivée, mais il avait le chic pour que tout le monde en soit content. Vous comprenez ce que je veux dire ?

Monica acquiesça à tout hasard.

— Après la mort de Charlie, ce ne fut plus la même chose. Brent a pris l'affaire en main et il a tout bouleversé, dit-il avec une moue dégoûtée. Armé de ses diplômes, il a cru être capable de tout réorganiser : il a licencié le personnel le plus honnête de la société... Cela n'avait aucune importance pour Brent. Il n'est pas resté beaucoup de monde de l'ancienne équipe : il n'y a que Rose qui en ait réchappé.

— Depuis quand êtes-vous à la retraite, monsieur Caplan ? demanda Monica, en espérant changer de sujet.

— A la retraite ? demanda Caplan, avec stupéfaction. Mais je n'ai pas été mis à la retraite, j'ai été licencié !

— Licencié ?

Il hocha la tête.

— Après vingt années de bons et loyaux services et sans tenir compte de l'amitié personnelle qui me liait à Charlie Wakefield.

— Je suis... je suis désolée.

— Un beau jour, Brent m'a appelé dans son bureau et il m'a dit froidement que je ne « convenais plus ». (Il rit amèrement.) Il m'a ordonné de retirer toutes mes affaires personnelles de mon bureau et d'aller prendre mon chèque d'indemnités. C'était tout. Pas même un serrement de main. Pas même « bonne chance »...

Monica était choquée. Il y avait beaucoup d'amertume dans ces déclarations de Fred Caplan, mais elle ne voulait pas prendre parti dans cette affaire. Néanmoins elle trouvait l'attitude de Brent peu sympathique, après tant d'années passées dans la société.

Caplan soupira et se resservit à boire.

— Vous savez, il n'est pas évident de trouver un autre emploi à cinquante-trois ans, surtout dans notre domaine et quand votre ancien patron refuse de vous donner un certificat. Ma femme en est tombée malade. Elle est cardiaque, et la moindre contrariété la secoue.

— Est-ce que Brent était au courant de la maladie de votre femme ? demanda Monica, sans pouvoir s'empêcher d'être outrée.

— Il s'en fichait, ma chère ! Vous ne vous en êtes pas encore rendu compte ? Il est impitoyable. Je vous assure qu'avec la femme de Wyatt, ils font la paire ! Ils étaient faits l'un pour l'autre !

Il continuait de rire amèrement. Maintenant, Fred Caplan était ivre. Il se pencha vers Monica et l'observa.

— Cela m'étonne que Nathalie Wyatt lui ait permis de vous engager, dit-il en secouant la tête. Elle est peut-être une associée très accommodante, mais quand une femme paraît à l'horizon, elle s'arrange en général pour la liquider aussitôt. Faites attention à vous ! Moi, je m'armerais à votre place !

Monica fut très soulagée de voir apparaître Todd qui vint lui proposer de faire une promenade sur la plage.

— Vous semblez tourmentée, lui dit-il, tandis qu'ils

marchaient en silence. Est-ce que ce vieux Fred vous a appris quelque chose qui puisse vous bouleverser ?

— Il m'a révélé plusieurs détails peu sympathiques sur mon patron, avoua-t-elle, en le regardant en coin.

Todd enfonça les mains dans ses poches et réfléchit assez longtemps avant de déclarer :

— Je pense que c'est la rancœur qui fait parler ainsi ce pauvre Fred. Vous savez, j'ai toujours considéré Wakefield comme un patron extrêmement habile, et quand on est comme lui à la tête d'une société qui veut prospérer, on ne peut pas se permettre de garder des bouches inutiles.

— Des bouches inutiles ?

— Cela fait un certain temps que Fred taquine la bouteille : je pense qu'il tirait un peu trop sur la corde. Le père de Brent était un ami de Caplan, et il est probable qu'il ait fermé les yeux, mais Brent n'a pas réagi de la même façon !

Monica soupira et répliqua sèchement :

— C'est une manière bien indulgente de voir les choses.

— Allons, dit Todd en riant, du calme ! c'est votre patron, après tout...

— En effet !

— Faites votre travail consciencieusement, et il sera satisfait. Il est inutile de vous tourmenter pour Caplan. On ne connaît pas le fin mot de l'histoire, et je suis certain que Wakefield avait de bonnes raisons de se débarrasser de lui. De toute façon, cela ne nous regarde pas.

— Vous devez avoir raison, dit Monica, en se détendant, heureuse de changer de sujet.

Après tout, le conseil de Todd était sensé. Brent n'était que son patron : rien de plus. Pourquoi se soucier de sa conduite ?

*
**

La visite de Clemson approchait, et les employés de *Wakefield et Wyatt* redoublèrent d'activité la semaine suivante. A la grande surprise de Monica, Nathalie Wyatt apparaissait presque tous les jours à la galerie, élégamment habillée, pour surveiller les préparatifs de dernière minute. Elle n'était pas avare d'ordres impérieux qu'elle faisait résonner sèchement, en dépit des modulations de sa voix.

— Paul, mettez donc ce vase de Sèvres sur la console. Il sera mieux mis en valeur.

Paul s'inclina poliment et sourit obséquieusement.

— Naturellement, madame. J'aurais dû y penser moi-même.

— A part quelques détails, votre galerie est parfaite, comme toujours. Je n'ai pas de souci à me faire ici.

— Je fais de mon mieux, répliqua Gauthier, avec une évidente fausse modestie, qui n'échappa pas à Monica.

Mais Nathalie partit d'un éclat de rire et lui tapota le bras.

— Evidemment, je le sais, dit-elle. Pourquoi vous aurais-je embauché, sinon ?

Ils échangèrent un sourire plein de sous-entendus, et Paul s'inclina à nouveau.

Elle fut beaucoup moins élogieuse avec Rose.

— Cette galerie est dans un désordre total ! Il y a de la poussière partout !

— J'ai pensé qu'il valait mieux ne pas encore épousseter les meubles, tant qu'on les déplaçait, expliqua Rose. J'allais justement demander à Joe et à Glen de déplacer le bureau de l'entrée.

— Quand ils le feront, faites-le mettre ici, ordonna Nathalie en indiquant un endroit au milieu de la pièce.

— Mais cet endroit est réservé à la lourde table en merisier, protesta Rose.

— Où avez-vous la tête ? répliqua Nathalie. Ce

bureau pourra nous rapporter deux fois plus que la table, pourquoi le reléguer dans un coin, contre le mur ? Nous en avons déjà souvent discuté, et vous vous obstinez à mettre en valeur des pièces de moindre prix. Il faudra remédier à cette manie, dit-elle sur un air de menace.

Rose se contenta de la regarder avec colère, réprimant avec effort son désaccord.

Quand Nathalie entra dans la galerie de Monica, elle eut un regard méprisant qui inquiéta Monica. Elle n'aurait pas pu choisir un pire moment. Les meubles étaient placés n'importe où, les caisses étaient éparpillés, à moitié vides, les porcelaines et les céramiques étaient par terre. Mais ils avaient encore trois jours devant eux, et Monica voulait procéder à un examen minutieux avant de choisir l'emplacement exact de chaque pièce. « Pourquoi, se dit-elle, avec irritation, Nathalie n'avait pas plutôt attendu la veille de la visite de Clemson ? »

Nathalie s'arrêta en plein milieu de la pièce et faisant un large geste de ses bras étendus, elle déclara avec morgue :

— Que voulez-vous que je dise ? C'est une véritable catastrophe !

— Ça l'est peut-être maintenant, mais tout sera en ordre dans deux jours, répliqua Monica, un chiffon de poussière à la main.

— Mais enfin, je n'ai jamais vu un tel chaos !

Elle jeta un coup d'œil dans la caisse que Monica était en train de déballer.

— Qu'y a-t-il là-dedans ? demanda Nathalie.

— Les porcelaines de Spode..., commença Monica.

— Dès que vous en aurez fini, vous irez à l'entrepôt chercher nos derniers arrivages de Wedgwood. Selon les dires de Brent, ils sont particulièrement beaux et connaissent une grande vogue dans le sud.

Glen était entré avec un chariot où il entassait les papiers d'emballage et les caisses.

— Attendez un instant ! ordonna Nathalie, en jetant un coup d'œil sur le chariot, les yeux plissés.

Elle commença à fouiller dans les papiers et les caisses.

— Etes-vous certain d'avoir tout bien vérifié et de n'emporter que des emballages vides ? Certaines porcelaines sont extrêmement légères. Il serait très facile d'en jeter une, par inattention.

Glen, un jeune garçon plutôt empoté, réfléchit un moment avant de déclarer :

— C'est mam'zelle Nelson qui vérifie, madame. Moi on m'a dit de ramasser, c'est tout.

Monica montra une croix rouge sur les caisses.

— Ce signe, précisa-t-elle, indique que la caisse est vide. Je m'assure avec soin que tout a été déballé.

— Parfait, dit brusquement Nathalie. Eh bien continuez à déballer les caisses et n'oubliez pas d'aller chercher les Wedgwood. Faites-le aujourd'hui, je vous prie.

Monica hocha la tête, sans accorder trop d'importance au ton discourtois de Nathalie. Plus tard dans l'après-midi, elle demanda à Joe de l'aider à sortir des caisses les Wedgwood, et elle s'attarda fort avant dans la soirée pour arranger les pièces sur la table, qu'elle nettoierait le lendemain.

C'était une collection de tout premier ordre, propre à satisfaire le goût le plus exigeant. Une pièce, en particulier, un vase de jaspe lavande, était absolument ravissant : Monica n'en avait jamais vu de pareil.

Quand elle rentra chez elle, Monica était épuisée. Mais il lui fallait être tôt le lendemain à la galerie.

Quand Monica retourna dans sa galerie, le lendemain matin, elle s'aperçut tout de suite que le Wedgwood manquait. Elle regarda la table vide avec stupéfaction et commença à fouiller dans la pièce avec une crainte croissante.

La recherche se révéla vaine. Le Wedgood avait bel et bien disparu. Mais enfin, c'était impossible !

Immédiatement, elle pensa à Glen et à son chariot. Se pouvait-il qu'il l'eût fait tomber en heurtant la table ? L'avait-il fait glisser involontairement dans une caisse vide ?

Monica se précipita vers l'endroit où étaient déposées les ordures. Elle se trouva face à Brent et à Nathalie Wyatt, qui parlaient à Glen, immobile, le précieux vase à la main !

— J'ai entendu quelque chose cliqueter dans une caisse quand je l'ai posée par terre, expliqua-t-il. J'ai jeté un coup d'œil à l'intérieur et j'ai vu ce vase.

— Oh ! Brent ! Est-ce qu'il est abîmé ?

La voix de Nathalie résonna lugubrement. Brent l'examina attentivement et déclara :

— Grâce au ciel ! non. Comment cela s'est-il produit ? demanda-t-il à Glen.

Glen rougit jusqu'à la racine de ses cheveux blonds.

— Ce... ce n'est pas... ma faute, bégaya-t-il. J'ai simplement ramassé les caisses vides, monsieur Wakefield. Mademoiselle Nelson avait marqué la caisse d'une croix rouge : ça veut dire qu'elle était vide. Je... je n'ai fait que mon travail.

— Je l'ai observé : il est très soigneux dans son travail, dit Nathalie à mi-voix. Je ne pense pas que ce soit la faute de Glen.

— Très bien, fit Brent à Glen. Vous pouvez vous en aller.

Glen sourit à Nathalie avec reconnaissance et s'éloigna avec son chariot. Brent et Nathalie se dirigèrent vers la galerie anglaise, et c'est alors qu'ils aperçurent Monica qui les observait à l'entrée.

— Mais enfin qu'est-ce que vous fabriquez, ma pauvre fille ? hurla Nathalie. Vous commencez par briser un vase qui n'a pas de prix et puis vous oubliez un Wedgwood dans une caisse... Mes félicitations !

— Un instant, je vous prie, commanda Brent, en faisant signe à Nathalie de se taire. Pourriez-vous vous expliquer, mademoiselle Nelson ?

Mais Nathalie secoua la tête avec agacement.

— Que pourrait-elle nous expliquer ? Il est absolument évident, du moins à mes yeux, que cette fille est une incapable : Nous ne pouvons pas nous permettre ce genre de maladresse et de négligence, si nous espérons remettre l'affaire sur pied. Une employée est supposée nous faire gagner de l'argent, pas nous en coûter !

— Je te prie de bien vouloir laisser parler mademoiselle Nelson, insista Brent, glacial.

Les lèvres crispées, Monica commença à s'expliquer. Elle dit comment elle avait dépaqueté le Wedgwood, comment elle l'avait soigneusement posé sur la table, dans l'intention de le nettoyer et de l'arranger le lendemain pour l'exposer.

Elle montra à Brent l'endroit où elle l'avait posé : c'était une table très stable. Elle avait placé l'objet loin des bords, pour éviter toute chute accidentelle. Elle indiqua le reste de l'ensemble, intact à l'endroit où elle l'avait laissé la veille.

— Je ne... je ne comprends pas comment la chose a bien pu se produire, murmura-t-elle. Tout les autres objets sont restés en place.

— Tous sauf la plus belle pièce ! lâcha aigrement Nathalie. Voilà comment les choses se sont passées, à mon avis, Brent : je suis persuadée que cette fille n'a même pas dépaqueté le vase, qu'elle ne l'a même pas vu. Elle avait hâte de rentrer chez elle. Elle n'a pas hésité à négliger son travail. Pour moi, cela ne fait aucun doute !

— C'est faux ! protesta violemment Monica. C'est

un pur mensonge ! J'ai déballé le vase. Il... il était magnifique, et je... je suis restée plusieurs minutes à l'admirer. Je l'ai posé avec le plus grand soin, et il... il aurait dû se trouver au même endroit ce matin.

Nathalie eut une moue sarcastique.

— Il aurait dû être ! Pour ma part, je ne saurais tolérer plus longtemps ce genre d'incompétence ! Je ne peux le permettre ! Encore quelques « accidents » de ce genre, et nous sommes à la rue !

Brent posa une main sur l'épaule de Nathalie Wyatt.

— Calme-toi, je t'en prie.

Mais elle se dégagea avec hystérie.

— Non ! Il n'est pas question que je me calme ! C'est Tom Lindquist qui est responsable de tout ça ! Toi-même, tu étais contre l'idée de l'engager... Et tu l'as fait, pour je ne sais quelle raison. On ne m'a même pas demandé mon avis ! Mais maintenant on ne m'interdira plus de le donner ! Renvoie cette fille d'où elle vient, avant qu'elle ne nous ruine tous !

Elle claqua les talons et disparut.

Brent et Monica se regardaient en silence. Une ombre de colère passait dans les yeux de Brent : était-ce contre Monica ou contre l'emportement de Nathalie ? Mais Monica était trop bouleversée pour le comprendre. Elle était, tout de même, certaine d'avoir sorti le vase de son emballage et de l'avoir posé avec le plus grand soin ! Elle ne comprenait pas comment il avait abouti dans cette caisse.

Brent la prit par le bras et lui fit signe de s'asseoir.

— Asseyez-vous.

Monica leva les yeux vers lui, des larmes commençaient à briller... Ses lèvres tremblaient.

— Je pense qu'on vient de me renvoyer et je vais préparer mes affaires pour les emporter.

— Il n'en est pas question ! Vous avez votre mot à

dire dans cette affaire, et j'ai aussi de bonnes raisons de vous croire.

— Vraiment ? demanda Monica, sincèrement surprise.

Il hocha la tête en plissant les yeux, comme s'il était absorbé dans des réflexions préoccupantes.

Au bout d'un moment, il déclara :

— Un accident peut toujours arriver. Glen a pu heurter la table, ou un courant d'air a pu faire tomber le vase.

— Non, Brent, le vase était trop lourd pour cela, opposa honnêtement Monica.

— A quelle heure avez-vous quitté le bureau hier soir ?

— Un peu avant vingt heures. Je m'en souviens, parce que j'ai entendu les nouvelles dans la voiture, quand je rentrais.

Il tapotait de ses doigts sur le bureau.

— Glen et Joe sont partis comme d'habitude à dix-sept heures. Rose est partie en même temps que Nathalie et moi, vers dix-neuf heures. Quand vous avez quitté le bureau, Paul Gauthier était le dernier, et c'est lui qui a fermé derrière vous. (Ses mâchoires se crispèrent.) Il faut que j'aille lui dire deux mots.

Mais Monica le retint.

— A quoi pensez-vous ? demanda-t-elle.

— A quoi est-ce que je pense ? demanda-t-il, en levant les sourcils. Je ne sais pas à quoi m'en tenir. Il se peut que Paul ait fermé la porte un peu trop brutalement, il se peut qu'il ait fait tomber quelque chose de lourd dans sa propre galerie, à côté. Il s'en faut de peu pour avoir déséquilibré le vase et l'avoir fait choir dans la caisse, à côté de la table. Je me souviens qu'il y a quelques années, un cargo a fait naufrage dans la baie, et notre galerie en a eu pour des millions de dollars de perte. Ce genre de chose arrive...

Monica fixait le bout de ses doigts, l'air soucieux.

Brent se dirigea vers la porte, puis revint sur ses pas et posa une main sur les épaules de Monica, d'un geste tendre.

— Vous n'avez qu'à continuer normalement votre travail, comme si de rien n'était.

— Mais comment le pourrais-je ? protesta Monica, en cherchant le regard de Brent, quand madame Wyatt ne veut qu'une chose : mon renvoi !

— Laissez-moi m'occuper de madame Wyatt, lui dit-il avec un sourire crispé. Ne vous concentrez que sur la visite de Clemson.

Il fit volte-face et disparut.

CHAPITRE X

Quand l'équipe de Clemson arriva, quelques jours plus tard, le mystère du vase n'avait toujours pas été éclairci.

Paul Gauthier fut outré d'avoir été soupçonné : il jura par tous les dieux qu'il n'y était pour rien. Il se plaignit auprès de tout le monde, obtenant parfois gain de cause car il savait être charmeur. Il considérait désormais Monica avec l'indifférence la plus hautaine. Il avait des regards pleins de sous-entendus à son égard : il voulait lui donner le sentiment que son jeu était découvert.

Heureusement l'arrivée de Clemson détourna l'attention de Monica de ces mesquineries.

Matthew Clemson était un homme d'une cinquantaine d'années, grand et bien bâti, au visage jovial, aux petits yeux bleus et vifs ; il avait perpétuellement, au coin de la bouche, un bout de cigare éteint qui menaçait de tomber à tout moment. Il était vêtu d'un costume léger, avec un grand nœud papillon à l'ancienne mode. Son agent, chargé des achats, Edwin Fortson, traînait derrière l'ombre de son patron. Fortson était un petit homme brun, malingre, avec un museau de rat et des yeux perçants auxquels rien n'échappait.

Clemson s'arrêta à l'entrée de la galerie anglaise et, avant que Brent n'eût eu le temps de lui présenter Monica, il s'écria :

— Je prends tout ! s'écria-t-il en éclatant de rire. Vous m'enveloppez le tout avec un joli ruban. Et je prends cette jolie jeune fille avec !

Brent les présenta l'un à l'autre, en souriant.

— J'ai passé plus d'un an en Angleterre, pendant la Seconde Guerre mondiale, dit Clemson en happant la petite main de Monica dans sa grosse patte. J'étais en Ecosse, du côté de l'aéroport de Prestwick. Je ne m'intéressais pas aux antiquités à cette époque ! ajouta-t-il en scrutant Monica. J'avais plutôt un penchant pour les Ecossaises... fit-il en donnant un coup de coude dans les côtes de Fortson, qui sourit obséquieusement.

Clemson fit un tour dans la galerie, posant des questions précises de sa grosse voix claironnante, et examinant des pièces çà et là. Monica était très fière de son travail : le désordre de ces derniers jours avait été conjuré et remplacé par une minutieuse organisation.

Clemson ne ressemblait pas du tout à ce qu'elle s'était représenté. Il faisait plus penser à un bon vieux grand-père qu'à un homme d'affaires, et elle se sentait tout à fait détendue.

— Voilà une pièce de choix ! fit remarquer Clemson, devant une commode en bois de rose, au plateau de marbre. Vous pouvez m'en réserver une dizaine de ce genre, si je vous fais une commande ? demanda-t-il à Monica, avec un regard en coin.

Elle était éberluée : cette commode avait une valeur exceptionnelle, mais on pouvait en trouver d'autres dans des bois moins précieux, avec le même dessus de marbre, si prisé dans le sud.

— Oui, répliqua-t-elle, après une légère hésitation. Sans problème.

— A partir de quand ?

— A partir de quand les voulez-vous ?

— Demain.

Il éclata de rire devant l'air déconcerté de Monica.

— Non, ma jolie, je vous fais marcher. Pour une commande de cette taille, je vous donne deux mois. Qu'en dites-vous ?

Monica jeta un coup d'œil vers Brent, qui était derrière elle. Il hocha imperceptiblement la tête.

Monica put assurer Clemson que les délais convenaient. Clemson continua à examiner les objets et les meubles victoriens ; il en semblait ravi.

Il prit entre ses mains un vase en verre d'Art Nouveau et l'examina longuement en silence et le passa à son agent.

— Qu'en dites-vous, Eddie ?

Fortson examina l'objet sous tous les angles et déclara :

— Eh bien, ce n'est pas un Tiffany, mais c'est une très belle pièce de Steuben, monsieur Clemson.

Monsieur Clemson acquiesça et considéra Monica.

— Ce genre de verre travaillé plaît beaucoup dans la région d'où je viens, particulièrement aux femmes...

— Madame Cardiff possède une merveilleuse collection de Tiffany dans sa galerie, déclara Monica. Je suis certaine qu'elle vous plaira.

Au bout d'une heure, Clemson revint vers Brent, l'air satisfait.

— Je reviendrai faire un tour ici plus tard, mais maintenant j'aimerais voir ce que vous me proposez dans vos autres galeries.

Ils revinrent après le déjeuner. Clemson refit un tour de la galerie, son agent prenant des notes à ses côtés. Et puis, il s'adressa à Monica, en levant un sourcil, ironiquement :

— Pourquoi est-ce que je devrais me fournir chez vous, alors que je peux traiter directement avec l'Angleterre ?

Monica connaissait l'existence de grosses entreprises d'antiquités qui faisaient directement des envois aux Etats-Unis de l'Angleterre, sans s'encombrer d'intermédiaire. Evidemment, les tarifs étaient élevés.

— Vous pourriez très bien le faire, admit-elle. Je connais plusieurs marchands en Angleterre. Mais vous devriez acheter les yeux fermés et vous risqueriez d'avoir des surprises en ouvrant les paquets. Il y a aussi le risque de casse. Le transport peut être ruineux : vous ne vous y retrouveriez pas nécessairement...

Clemson la considéra en souriant du coin de la bouche, puis entoura les épaules de Monica de son bras.

— Vous avez là une jeune femme bien convaincante ! affirma-t-il à Brent. Dites-moi, ma ravissante, ajouta-t-il à l'adresse de Monica, si un jour vous en avez assez de ce type (il indiquait Brent), vous me donnez un coup de fil, et je vous trouve du travail sur-le-champ.

— Ne lui donnez pas de mauvaises idées, dit Brent en souriant.

— D'accord, fit Clemson, toujours cordial. Asseyons-nous et résumons-nous, ajouta-t-il, les yeux brillants. Dites-moi exactement ce que vous pouvez faire pour moi et pourquoi je dois traiter avec vous.

Ils allèrent tous les quatre dans le bureau de Brent, pour procéder au marché à proprement parler. Monica n'aurait pas dû les accompagner, mais elle fut entraînée de force par Clemson, qui avait gardé le bras sur ses épaules. En traversant la galerie française, ils rencontrèrent Paul Gauthier qui regarda Monica d'un air plein de sous-entendus.

Monica fut attentive à l'entretien de Clemson et de Brent. Elle ne prenait la parole que quand l'un ou l'autre lui posaient des questions. Monica se rendit compte que, sous des dehors joviaux, Clemson était un homme d'affaires avisé. Finalement, les deux partis trouvèrent un terrain d'entente, et les deux hommes se serrèrent la main, satisfaits.

— C'était vraiment un plaisir pour moi de traiter

avec vous, dit Clemson. Je n'ai pas d'avion avant demain matin, est-ce que vous me ferez l'honneur de dîner avec moi ?

— Vous êtes mon invité, répondit Brent.

— Très bien, accepta Clemson, en jetant un coup d'œil vers Monica. Mais à condition que cette jolie demoiselle soit de la partie. Rien de tel qu'une présence féminine pour transformer une soirée et mettre en appétit !

Brent les reconduisit, en leur serrant les mains. Quand il revint dans la pièce, il surprit Monica, en se précipitant vers elle et en la prenant dans ses bras.

— On a réussi ! s'écria-t-il, en la faisant tournoyer. Et il est évident, Monica, que vous y êtes pour beaucoup ! Ce cher Clemson a un faible pour les jolies femmes... et quand en plus elles sont intelligentes !...

Monica resta un moment sans pouvoir parler : c'était l'effet de la tension de tous ces derniers jours. Mais elle finit par sourire et déclarer :

— Je suis tellement heureuse, Brent. J'ai vu, dès le début, qu'il était très impressionné par la qualité de notre marchandise.

— Je veux bien vous croire.

Ils échangèrent un regard complice et éclatèrent de rire.

Brent la fit s'asseoir et sortit, d'un petit réfrigérateur, une bouteille de champagne.

— Comme vous voyez, j'avais tout prévu. Il faut fêter ça !

Tout le monde vint se joindre à eux dans le bureau : on était d'excellente humeur. Leurs efforts étaient récompensés, et la tension des jours précédents était oubliée dans de joyeux éclats de rire. C'est alors qu'apparut Nathalie.

Paul Gauthier l'aperçut et la prit par le bras.

— Nous sommes au complet maintenant ! annonça-t-il en trinquant avec elle.

Elle lui sourit et se hâta de rejoindre Brent, qu'elle regarda, les yeux brillants.

— Nous avons réussi, finalement ?

— Oui, répondit-il un large sourire aux lèvres. C'est fait.

— J'étais certaine que nous le pourrions ; (et elle ajouta à voix basse à l'oreille de Brent :)on dîne ensemble, mon chéri ?

— Non, pas ce soir, Nathalie, je dîne avec Clemson. Il n'a pas d'avion avant demain matin.

Nathalie glissa son bras autour de celui de Brent, de manière possessive, et déclara, sans inquiétude :

— Je me joins à vous, alors !

Il y eut soudain une gêne générale dans la pièce : la tension revenait, et tous les regards étaient posés sur eux.

Brent semblait extrêmement embarrassé.

— Brent ! lança sèchement Nathalie, en plissant les yeux, tandis qu'elle le voyait hésiter.

Finalement, il poussa un soupir et déclara :

— Clemson m'a demandé d'inviter Monica ; j'ai accepté. Naturellement, tu es la bienvenue.

Elle eut un petit rire strident et cynique.

— C'est trop gentil à toi ! lâcha-t-elle, le visage enlaidi et contorsionné par une grimace d'aigreur et de rancœur.

Plus personne n'osait prendre la parole. L'ambiance de la réunion était définitivement cassée. Rose prit sur elle de rompre la glace, en déclarant sur un ton d'enjouement artificiel :

— Au travail, les amis ! Si je prends une coupe de plus, vous devrez me transporter sur une civière...

Mais Brent retint ses employés. Il les remercia chaleureusement pour les efforts qu'ils avaient déployés et sans lesquels il n'aurait pu conclure le marché.

— Nous formons une solide équipe, termina-t-il. Je suis fier de vous tous.

Monica se joignit au groupe qui sortait : elle fut soulagée quand elle entendit la porte du bureau de Brent se refermer derrière eux. Malgré tout, elle entendit les amères récriminations de Nathalie et dut se boucher les oreilles pour s'en débarrasser.

— La chipie ! lâcha Rose Cardiff, tandis qu'elles traversaient ensemble le couloir. J'espère toujours qu'un de ces jours, Brent réussira à l'apprivoiser.

Monica ne répondit pas. Elle était soudain envahie d'un sentiment de détresse qui détruisait toute sa joie d'avoir réussi. Il n'était plus question pour elle de se réjouir de dîner avec Clemson : elle aurait dû décliner l'invitation.

Elle en avait peut-être encore la possibilité. Elle ne pouvait pas parler maintenant avec Brent, puisque Nathalie était encore avec lui, mais elle essaierait de le faire quand ils retourneraient ensemble à *Seacliff.*

Heureusement, Nathalie n'était plus là en fin d'après-midi. Monica avait attendu Brent, et elle lui fit signe comme il sortait du bâtiment. Tandis qu'il s'approchait, elle remarqua qu'il avait les traits tirés : toute trace de bonne humeur avait disparu.

Il s'assit près d'elle sur le banc où elle se trouvait. Il la regarda de côté. Sans lui laisser le temps de se confier à lui, il la surprit en déclarant :

— Il n'est pas question que vous vous dérobiez ce soir !

Il avait lu dans ses pensées ! Encore une fois, Monica s'apercevait de son extraordinaire habileté à percevoir ses moindres sentiments. Mais elle était trop lasse pour en éprouver une sensation de malaise.

— Je vous assure, Brent, que ce serait la meilleure

solution, insista-t-elle. Cela ne me fait strictement rien.
Nathalie est tout à fait en droit de...

— Nathalie est également invitée, ne l'oubliez pas !
rétorqua-t-il, les mâchoires serrées.

Sans y réfléchir, Monica posa la main sur celle de
Brent et affirma doucement :

— Il vaut mieux que je ne vienne pas. Ce serait une
telle maladresse de ma part...

— Encore une fois, vous prenez la fuite ? répliqua-
t-il, avec son regard glacé. Je veux que vous veniez, dit-
il en lui serrant violemment la main. Est-ce que vous ne
comprenez pas ? C'est un ordre, si vous préférez...

Maintenant Monica était hors d'elle. Elle voulait éviter une situation embarrassante et lui permettre d'adou-
cir les choses avec Nathalie. Au lieu de lui en être recon-
naissant, il la rendait responsable !

Elle dégagea sa main et se leva brusquement, en lui
lançant un regard furieux.

— Et c'est un ordre auquel je ne suis pas tenue
d'obéir, monsieur Wakefield ! Je suis libre de disposer
de mes heures de loisir !

— Oui, sauf dans les rares occasions où vous devez
m'aider à divertir mes clients, répliqua-t-il avec une
implacable douceur.

— Mais vous avez Nathalie, pour cela ! s'écria
Monica.

— Ce n'est pas la volonté de monsieur Clemson. Ni
la mienne.

Le visage de Monica s'empourpra. Elle lui lança un
regard dubitatif. Elle avait l'impression d'être prise au
piège.

Il la saisit par le poignet et la força à se rasseoir près
de lui.

— Clemson et moi, serons ravis de dîner avec deux
jolies femmes.

— C'est peut-être pour vous une bonne plaisanterie et l'occasion de vous divertir, mais pas pour moi !

— Pour vous quoi ? coupa-t-il, tandis qu'elle se mordait les lèvres comme si elle avait commis un impair.

Il était très près d'elle. Elle avait l'impression d'être transpercée par son regard d'acier, qui captait les derniers rayons du soleil couchant. Elle sentait son souffle sur ses joues.

— Pour moi, ce sera un enfer..., avoua-t-elle sincèrement.

Il se calma, sans la quitter des yeux. Pendant un moment, il se tut. Puis il déclara, d'une voix presque atone :

— Nathalie ne dînera pas avec nous.

— Comment ? demanda-t-elle, stupéfaite.

Il étendit ses longues jambes devant lui, prenant une position soudain plus détendue sur le banc.

— Nathalie a décliné mon invitation, expliqua-t-il laconiquement.

— Vous le saviez depuis le début. Pourquoi ne pas me l'avoir dit ? protesta-t-elle avec irritation.

— Je suis désolé, fit-il avec un sourire désarmant. Mais je crois que vous éveillez la cruauté en moi : j'adore observer l'effet de vos émotions sur votre visage et dans l'éclat de vos yeux. Mais je n'avais pas le droit, reconnut-il avec une petite courbette, et je m'en excuse platement.

Monica n'exprima aucun des ressentiments qu'elle était tentée de formuler. Cet affrontement l'avait épuisée : elle n'avait qu'une envie, celle de regagner au plus vite son pavillon pour s'y reposer un peu.

Encore une fois, Brent avait prouvé son pouvoir de la réduire à sa merci. Pourquoi lutter contre lui ? pourquoi lui donner cette satisfaction « d'observer l'effet de ses émotions sur son visage » ? Elle avait beau être son employée, elle ne lui servirait pas de jouet ni d'occasion de se distraire en dehors des heures de travail !

Elle se releva, sans rien laisser voir de son trouble intérieur.

— Parfait. Je vais rentrer au pavillon, maintenant... Si vous voulez bien m'excuser.

Elle lui tourna le dos et s'éloigna. Elle se retourna une dernière fois et s'aperçut qu'il n'avait pas quitté sa place sur le banc, tandis que l'obscurité s'installait autour de lui.

C'est alors qu'elle fut saisie de l'envie irrépressible de revenir vers lui et de lui prendre la main...

CHAPITRE XI

Dès qu'elle fut chez elle, Monica se prépara du thé, qu'elle se servit dans le salon, assise sur le canapé. Brent ne viendrait pas la prendre avant vingt et une heures, et elle avait encore une heure devant elle pour prendre une douche et s'habiller pour le dîner.

Le vent s'était levé, on entendait violemment le déferlement des vagues contre la falaise, et le ciel était d'encre. La température commençait à baisser...

Tout en prenant son thé, Monica ne cessa de penser à Nathalie. Pourquoi avait-elle refusé de se joindre à eux ? Nathalie n'était pas du genre à s'avouer vaincue.

Qu'est-ce que Brent en pensait ? Monica ne savait pas à quoi s'en tenir. Pour elle, c'était une énigme : car elle ne partageait pas son pouvoir de lire dans les pensées.

Le vent hurlait autour de la maison. Les fenêtres étaient ouvertes, et les rideaux gonflés d'air. Un volet claquait.

Monica se leva pour fermer les fenêtres. La maison était maintenant fraîche, toute pénétrée de l'air marin.

Avec un soupir, Monica s'étendit sur le sofa et s'abandonna à un demi-sommeil.

Le heurt d'une porte claquant contre un mur l'éveilla. Avec un grognement, elle se leva et regarda autour d'elle. Elle s'aperçut que la porte de la cave était grande ouverte et qu'un air glacé montait du sous-sol.

Etonnée, elle alluma la lumière de la cave et descendit. L'air était très frais : un courant d'air semblait venir des profondeurs des corridors souterrains.

Le labyrinthe était plongé dans la pénombre : Monica s'avança prudemment et s'aperçut que la lourde porte de chêne qui donnait sur un tunnel était légèrement entrouverte. Elle avança une main pour la refermer. Mais la porte était lourde et ne cédait pas, tandis que Monica tirait sur l'anneau métallique.

Soudain, elle entendit quelque chose devant elle dans les ténèbres, au fond du tunnel. On aurait dit le miaulement plaintif d'un chat.

Monica poussa un soupir. Ce n'était pas la première fois que l'un des chats de la maison principale s'était faufilé jusque dans le pavillon. Et elle leur avait toujours fait bon accueil. Maintenant, de toute évidence, l'un d'eux avait décidé d'explorer les galeries souterraines, sans se rendre compte qu'il risquait d'y rester prisonnier.

Elle ouvrit la porte en grand et avança de quelques mètres dans le tunnel obscur.

— Par ici, minet ! Viens par ici...

Elle entendit un petit gémissement devant elle.

— Allons viens ! insista-t-elle, avec moins de douceur. Ou bien, je referme la porte, et tu resteras là toute la nuit.

Mais elle ne mettrait pas sa menace à exécution. Poussy, sa préférée, avait eu une portée de chatons récemment, et il se pouvait très bien que l'un d'eux se fût aventuré dans ces souterrains.

Monica poussa un soupir d'exaspération et entra plus profondément dans le souterrain, en claquant doucement dans ses doigts, pour attirer le chaton. Mais elle sentit sous ses pieds que le sol devenait glissant. L'odeur de moisi commençait à devenir incommodante.

— Allons, viens vilain minou !

Dans les ténèbres, un drôle de petit miaulement se fit entendre.

Monica hésita, aux aguets. Elle fronça les sourcils : il y avait dans le son quelque chose d'inhabituel, de trop guttural, de trop grave.

Elle fut soudain parcourue d'un frisson. Il se pouvait qu'un des chatons fût tombé quelque part et qu'il fût blessé.

Elle s'avança davantage, avec prudence. Et, tout à coup, un claquement sinistre ! Derrière elle, la lourde porte de chêne s'était refermée brutalement !

Monica poussa un hurlement : elle était plongée dans une obscurité totale. Elle marcha à tâtons, les bras en avant.

Elle essaya de regagner la porte. Elle n'avait pas fait six pas qu'elle glissa et s'effondra brutalement. Sa tête heurta une grosse pierre... Elle perdit connaissance...

CHAPITRE XII

Quand, quelques instants plus tard, Monica recouvra ses esprits, elle se sentit enterrée dans une tombe de ténèbres. Elle avait encore une joue contre le sol humide. Elle avait très mal au côté gauche de la tête. Son corps entier était parcouru d'un tel frisson d'horreur qu'elle avait la nette impression d'être morte et enterrée.

Mais elle se ressaisit. Malgré sa terreur, elle désirait revenir à la vie. Elle devait lutter contre une irrépressible torpeur et une sorte de paralysie de ses membres. Elle se releva et essaya de regarder autour d'elle.

Elle avait le sentiment d'être au fond d'un puits : aucune lumière ! aucun bruit ! Des murs d'une épaisseur qui avait résisté aux siècles la coupaient du reste du monde : elle n'entendait que les battements de son propre cœur ! Et ce bruit sourd que répercutait l'écho semblait se railler de sa détresse.

Elle était prise au piège ! Autant dire : enterrée vivante ! Combien de temps devrait-elle moisir, dans ce tombeau, avant qu'on ne s'inquiétât d'elle ? Est-ce qu'on aurait l'idée de venir la chercher dans les galeries souterraines ?

Elle fut envahie d'une peur hystérique. Elle se rappela que Mme Wakefield avait affirmé que la porte des tunnels n'avait pas été ouverte depuis des années. Personne ne pourrait imaginer qu'elle s'y était aventurée toute seule ! Personne ne penserait à regarder de ce côté !

Monica longea le mur, et remonta jusqu'à la lourde porte de chêne. En tâtonnant, elle trouva l'anneau de métal et essaya de le tourner. Mais il semblait rongé de rouille et inutilisable.

Des deux poings, elle tambourina contre la porte jusqu'à ce que ces mains fussent meurtries. Elle hurla, mais l'écho seul répondit à sa voix.

Elle finit par se calmer. Elle ne devait pas se laisser aller. « Repose-toi quelques minutes, se dit-elle, et réfléchis un peu. Tu vas bien trouver une solution. »

Elle s'assit par terre, le dos contre la porte. Le froid commença à la transpercer, elle se frictionna les membres pour activer la circulation.

Reprenant un peu confiance, elle pensa pour la première fois à regarder sa montre. Les aiguilles phosphorescentes indiquaient un peu plus de vingt-deux heures.

Avec un serrement au cœur, Monica pensa que Brent l'aurait appelée dans le pavillon et qu'il ne l'aurait vue nulle part. Elle savait ce qu'il aurait imaginé. Il aurait déduit qu'elle s'en était allée pour éviter cette soirée : elle avait suffisamment montré ses réticences devant ce dîner avec Clemson !

Et il serait hors de lui !

Jamais, l'idée ne lui viendrait qu'elle eût pu être empêchée par un accident indépendant de sa volonté.

Elle pensa soudain aux chatons. Si l'un d'eux avait pu se faufiler jusqu'ici, il avait maintenant disparu. Mais par quelle issue ? Par la porte de l'autre extrémité du tunnel qui donnait sur la plage ?

Est-ce qu'elle allait oser traverser, sur toute cette distance, la galerie souterraine ? Sans doute, la porte s'était ouverte elle-même, cédant sous la violence du vent, et avait provoqué un tel courant d'air, que la porte de la cave s'était ouverte à son tour.

Et pourtant, il n'y avait plus de vent, maintenant ; ne restait que cette suffocante odeur de moisissure. Et bien qu'elle y eût mis toute sa force, elle n'était pas parvenue à ouvrir la porte de la cave. Comment le vent, même avec toute sa violence aurait-il pu forcer cette porte ?

A moins qu'autre chose n'eût ouvert la porte ? Elle eut aussitôt une autre pensée glaçante : et si c'était une personne qui, délibérément, l'avait attirée dans les souterrains ?

Monica frissonna et écarquilla à nouveau les yeux pour essayer de percer les ténèbres. Tout était silencieux, immobile. Le froid saisissait tout son corps : elle avait l'impression d'être effleurée par le doigt glacé d'un spectre.

C'est alors que Monica se rappela les légendes qui voulaient que *Seacliff* fût hanté : « Elle pénétra dans le tunnel souterrain..., avait dit Brent... Une femme, très belle et très jeune, bien que diabolique ! On raconte qu'elle a été brûlée comme sorcière, sur ce domaine, il y a deux siècles... »

Monica se recroquevilla, les genoux contre la poitrine. Elle se rappelait qu'elle avait ri des allusions de Brent et qu'elle avait affirmé ne rien croire à ces histoires de fantômes... Evidemment, elle pouvait toujours se montrer vaillante à la lumière du jour, en bonne compagnie...

Elle se releva et recommença à tambouriner contre la porte. A sa crainte s'était substitué un sentiment de colère. Sans doute, les êtres diaboliques existaient-ils bel et bien, mais ils étaient en chair et en os ! Nathalie Wyatt ne la détestait-elle pas ? N'aurait-elle pas tout fait pour s'opposer à ce dîner en ville, avec Brent ? Serait-elle allée jusqu'à l'enfermer dans le tunnel ?

Pourquoi pas ? Mais, non ! Nathalie ne pouvait pas

avoir la force suffisante pour mouvoir l'énorme porte de chêne.

Monica dut se résoudre à se rasseoir, en frictionnant ses membres pour ne pas les laisser s'endormir. Il s'agissait de ne pas se laisser engourdir par le froid humide.

Elle essayait de reprendre courage : le lendemain matin, quand elle ne réapparaîtrait pas sur son lieu de travail, ses collègues se rendraient compte de son absence et s'inquiéteraient. Ils se mettraient à sa recherche, viendraient au pavillon ; là, ils remarqueraient la lumière de la cave. Ils seraient bien obligés de descendre, et quelqu'un finirait bien par s'aventurer dans la galerie souterraine.

Vraiment, serait-ce leur réaction ?

Oui ! Oui ! essaya-t-elle frénétiquement de se dire, pour se rassurer. Bien sûr, c'était logique ! Tout indiquerait qu'elle se trouvait au fond de la cave. Madame Wakefield se rappellerait que Monica avait montré un intérêt particulier pour les galeries souterraines : il serait parfaitement évident de venir la chercher ici.

C'était simplement une question de temps : elle devrait attendre et essayer de se tenir bien chaud, jusqu'à ce que cette hideuse porte fût ouverte. Enfin, Monica pourrait revoir la lumière du jour !

Il fallait faire preuve de patience. Le lendemain matin, tout ne serait qu'un mauvais souvenir. Brent ne serait plus fâché contre elle et, quand il se rendrait compte du supplice qu'elle avait enduré, il serait empli de compassion à son égard !

Cette perspective la fit sourire : elle se représentait un véritable tableau idyllique, afin de conjurer l'inquiétude qui devait encore la torturer pendant les heures qu'elle passerait dans les entrailles de la terre.

Le temps s'écoulait à une lenteur épouvantable, et

Monica commençait à souffrir réellement du froid. Elle sentait la torpeur la saisir, et une léthargie embuer sa conscience. Ça devenait vraiment pénible de faire de l'exercice. Elle restait recroquevillée contre le mur, en essayant de nier le froid qui la transperçait.

Ses pensées commencèrent à vagabonder...

Quelque part dans la brume de ses rêves, une porte craqua et s'ouvrit, gémissant sur ses gonds, bruits furtifs de pas pressés, la violence soudaine d'une lumière.

Monica ouvrit péniblement les yeux, qu'elle referma aussitôt, éblouie. Son corps était congelé, sa gorge était prise et lui faisait mal.

Le rêve... elle était dans l'eau... éloignée de tout... ses membres étaient de glace... elle commençait à sombrer... la mort l'engouffrait... et puis soudain un éclair de lumière !

Elle ouvrit complètement les yeux et regarda en l'air, le plafond d'où dégouttait l'humidité.

Un mince rai de lumière filtrait par la porte ! Elle se retourna : la porte de chêne était entrebâillée !

CHAPITRE XIII

Monica voulut se précipiter immédiatement hors de sa prison, mais, surprise par la violence de la lumière, elle tituba un instant, éblouie. Elle se sentait affaiblie : la tête lui tournait. Mais elle voulait fuir au plus vite le souterrain qui l'avait gardée prisonnière pendant plusieurs heures.

S'agrippant à la rampe métallique, elle gravit, avec des gestes crispés, les marches qui la séparaient du rez-de-chaussée. Haletante, elle fit claquer la porte de la cave derrière elle et y appuya un fauteuil du salon.

Elle bondit vers le téléphone et allait composer le numéro de la maison de Brent, quand elle jeta un coup d'œil à l'horloge et vit l'heure : trois heures moins vingt !

Elle raccrocha aussitôt, en se mordant les lèvres, hésitante : Brent et sa mère seraient en train de dormir ; ils seraient affolés si elle les dérangeait à cette heure de la nuit. Du reste, que pourrait-elle leur dire ? « Votre fantôme m'a joué un tour cette nuit ? » Ou bien, encore moins crédible : « Quelqu'un m'a attirée dans la cave et m'y a enfermée pour m'en délivrer comme par magie, en plein milieu de la nuit ? »

Ils la penseraient folle à lier !

Monica fut prise de tremblements incontrôlables. Sa tête lui tournait à nouveau, et elle claquait des dents. Maintenant qu'elle se retrouvait dans son confortable salon, dans une douce lumière rassurante, elle subissait encore l'effet de son supplice.

Sa main tremblait, tandis qu'elle se versait un verre de liqueur. Elle essaya de se redonner du courage : après tout, tout allait bien, et il n'était pas question pour elle de sortir. Elle attendrait le jour pour essayer de réfléchir à ces événements. Maintenant, elle avait trop froid et elle était trop épuisée.

Elle ne put s'empêcher d'examiner, avec soin, les moindres recoins du pavillon, dans les placards, sous les lits : elle se sentait absolument ridicule d'agir ainsi. Elle se fit couler un bain et sentit avec plaisir l'eau chaude sur son corps.

Dès qu'elle se fut glissée dans son lit, elle sombra dans un sommeil qu'aucun mauvais rêve ne vint troubler.

Le lendemain matin, Monica se leva à la même heure que tous les jours, s'habilla et alla en voiture à la galerie. Elle était encore fatiguée et faible. Sa gorge, sa tête lui faisaient mal : mais elle refusait de rester chez elle à ressasser les événements de la nuit. Elle n'arrivait toujours pas à comprendre ce qui avait bien pu se produire.

Par ailleurs, elle voulait parler à Brent, lui expliquer.

Elle le trouva dans son bureau, peu avant midi. Elle entra doucement et ferma la porte précautionneusement derrière elle.

Il la regarda d'un air glacé, de derrière son bureau. Monica subissait toujours ce regard avec gêne.

— Je suis venue vous expliquer ce qui s'est passé cette nuit, commença-t-elle.

Brent la dévisageait froidement.

— Une explication n'est pas nécessaire, pour ne pas dire déplacée, répliqua-t-il, en fouillant dans ses papiers pour lui signifier qu'elle pouvait prendre congé.

Monica rougit sans faire un mouvement.

— Brent, il faut absolument que vous m'écoutiez. Vous ne comprenez pas...

— Je comprends parfaitement, au contraire ! lâcha-t-il, en posant un classeur avec brutalité. C'est assez clair, il me semble... Vous n'aviez nullement l'intention de venir au dîner. C'était évident dès le début. Mais votre conduite est innommable ! ajouta-t-il avec une moue de dégoût. Toujours la petite fille qui se dérobe devant ses obligations. La petite fille têtue qui ne veut pas grandir !

— Je ne me suis jamais dérobée devant aucune obligation désagréable dans ma vie ! répondit-elle, d'une voix brisée. Et j'avais l'intention de venir au dîner !

— Où est-ce que vous vous êtes cachée, espèce de gamine... Dans la salle de bains ? Sur la plage ? (Il avait un sourire cynique.) En tout cas, pas très loin, puisque votre voiture était garée devant le pavillon. Vraiment, Monica...

— J'ai été enfermée dans la galerie souterraine !

Il la considéra avec stupéfaction et éclata de rire.

— Est-ce que vous n'avez pas remarqué, poursuivit-elle, quand vous êtes venu me chercher que la porte de la cave était ouverte et que la lumière de l'escalier était allumée ?

— La porte de la cave était fermée. Je vous ai appelée, et comme vous n'êtes pas apparue, j'ai fait le tour de la maison. La porte de la cave était fermée : j'en suis certain. Je l'ai ouverte, moi-même, et j'ai appelé dans l'escalier, qui était plongé dans l'obscurité.

— Mais...

— Dites-moi, pourquoi y êtes-vous descendue ? demanda-t-il sur un ton de provocation ironique.

Monica s'appuya contre la porte et ferma les yeux pendant quelques secondes. Elle se sentait soudain très fatiguée, désespérée. Pourquoi continuer ainsi ? Il ne la croirait pas. Chaque argument, dont elle pouvait user, la rendait plus ridicule à ses yeux.

« Combien il devait la mépriser ! » pensa-t-elle. Elle souffrait violemment : sa migraine empirait, sa faiblesse augmentait. Si elle ne sortait pas tout de suite, elle allait s'écrouler...

— Cela... cela n'a aucune importance, murmura-t-elle, en poussant un soupir.

Sans un mot, elle fit volte-face, ouvrit la porte et sortit.

Par la suite, elle ne se rappela pas trop ce qui s'était passé : heureusement, il n'y avait pas beaucoup de travail, et les employés se détendaient après la visite de Clemson.

Au déjeuner, dans un restaurant du quartier, Rose Cardiff la regarda avec étonnement.

— Pourquoi est-ce que vous ne mangez pas ?

— Je n'ai pas faim, répliqua sincèrement Monica.

— Vous êtes pâle, Monica. Est-ce que quelque chose ne va pas ?

Mais sans laisser à Monica le temps de répondre, elle lui sourit et déclara :

— Ah ! je vois... Les lendemains de fête... Le dîner s'est bien passé, hier soir ?

— Je n'y suis pas allée, répondit Monica, le regard perdu.

— Nathalie..., commença Rose, avec colère.

— Non, ce n'est pas à cause d'elle. Du moins, je ne le crois pas.

Elle ne put s'empêcher de lui raconter le supplice qu'elle avait enduré la veille. Sa voix trahissait sa détresse.

— Est-ce que vous avez parlé à Brent ? demanda aussitôt Rose.

— Naturellement, il n'a pas voulu me croire.

Rose se tut, en plissant les yeux.

— Ce n'était pas un accident, vous pouvez en être sûre, Monica, déclara-t-elle enfin. Quelqu'un a voulu momentanément se débarrasser de vous, afin de vous discréditer auprès de Brent. Et j'ai ma petite idée sur ce « quelqu'un ».

Monica poussa un soupir.

— Nathalie n'aurait pas eu la force de déplacer cette énorme porte, Rose. Elle est plus frêle que moi !

— Mais vous oubliez quelque chose, Monica ! Nathalie a des amis, des hommes de main... Une belle femme comme elle, sans scrupules, sait se rendre convaincante, auprès de certains hommes, du moins...

— Qu'est-ce que vous dites ? chuchota Monica, avec effarement.

Soudain le décor disparut pour Monica qui se retrouva en pensée au fond de la galerie souterraine. Elle sentait le froid sépulcral de la cave la pénétrer...

— Je me rappelle les précédentes locataires du pavillon, dit Rose, en se caressant le menton. C'étaient deux charmantes jeunes femmes, deux institutrices. Elles sont parties très brusquement l'année dernière.

Monica regardait Rose, sans rien dire.

— Un bruit a couru dans le village, par la suite. On dit que les deux jeunes femmes avaient été effrayées par d'étranges événements. Un fantôme dans la cave... des pas dans les galeries souterraines... un hurlement au cœur de la nuit... Elles avaient été assez épouvantées pour vouloir déménager.

Comme Monica ne disait toujours rien, Rose se pencha et posa la main sur la sienne et déclara :

— Vous comprenez, Monica, elles étaient indésirables, elles aussi. Elles étaient trop jolies et trop proches de Brent : on les a fait fuir !

— Vraiment, Rose...

— Faites-moi confiance, Monica : je sais de quoi je parle. Nathalie a gravi péniblement les degrés de l'échelle sociale : tout n'a pas été très propre dans son cheminement. Ce n'est pas quand elle est près d'atteindre le sommet qu'elle permettra qu'on l'en empêche : méfiez-vous !

— Mais elle ne peut pas avoir ouvert cette porte, Rose ! Et je ne peux pas imaginer quelqu'un qui accepte de se rendre complice de ce forfait. Ils encourent la colère de Brent s'ils sont découverts... Et que dire de la police ? Je pourrais très bien déposer plainte...

— Oui, dit Rose avec un petit sourire, et qu'est-ce que vous lui diriez ? Quelle preuve avez-vous ? Que peuvent faire les policiers sans preuve, sans indice ?

Monica soupira en regardant le fond de sa tasse de café.

— Vous avez un rendez-vous avec mon neveu demain, n'est-ce pas ? demanda abruptement Rose.

Monica sursauta : elle avait complètement oublié Todd Robinson dans la confusion des derniers événements.

— Quand Todd viendra, demandez-lui de descendre avec vous dans la galerie souterraine avec une lampe de poche. Qui sait ? Vous trouverez peut-être quelque chose... Et vous tiendrez votre preuve !

— Oh non, Rose ! ... Je n'ai plus qu'une envie, c'est de tout oublier.

— Alors, la chose pourra se reproduire. Nathalie n'est pas du genre à s'avouer vaincue. Monica, croyez-moi, elle n'aura de cesse qu'elle ne vous ait définitivement éloignée de la vie de Brent, en vous effrayant. Vous pouvez toujours me traiter de tête de mûle, mais je vous assure qu'il ne faut pas lui laisser les mains libres !

CHAPITRE XIV

En sortant du bureau, Monica se rendit dans un grand magasin pour acheter un verrou pour la porte menant à la cave. Elle l'installa le soir même, après dîner.

Elle se sentait toujours un peu fébrile et prit un sirop pour la gorge. Après un bain brûlant, elle alla se coucher.

Mais elle ne trouvait pas le sommeil. Décidément, tout allait mal pour elle, quels que fussent ses efforts, surtout aux yeux de Brent.

Il lui tardait que Tom revînt. Il lui manquait beaucoup. Tom l'aurait tout de suite comprise, et écoutée !

Sa rancœur à l'égard de Brent, mêlée à son désespoir, l'empêchait de dormir, avec le souvenir cuisant du regard qu'il avait jeté sur elle, emprunt de mépris et même de dégoût. Contre le mépris, que pouvait-elle ?

« Où vous étiez-vous cachée, espèce de gamine ? »

Monica enfouit son visage brûlant dans l'oreiller. « Tom ! reviens vite, je t'en supplie. J'ai besoin de toi, de ta compréhension, de ta gentillesse, de la douceur de ton regard. J'ai besoin de me sentir réconfortée par toi, d'être entre tes bras... De t'entendre dire que tout ira bien, que je ne me retrouverai jamais seule dans l'obscurité, entourée de malveillance, pour affronter... affronter quoi ? »

« Vers quoi courez-vous, petite ? »

Monica se rappelait encore la voix ironique. Elle avait beau se boucher les oreilles, elle entendait toujours cette voix railleuse. N'était-ce pas cela qu'elle essayait de fuir de toutes ses forces ? N'était-ce pas ces yeux bleus et froids et brûlants en même temps ? ... Ce regard qui la désemparait, qui lui faisait peur ?...

De quoi avait-elle peur ?

De l'inconnu ? De sentiments qui sommeillaient en elle ? D'elle-même, de ses désirs, du pouvoir de son charme féminin ? De l'amour ?...

Elle, amoureuse de Brent Wakefield !

Elle ne put rien contre les larmes qui jaillirent entre ses paupières fermées : larmes d'amertume et de désespoir, d'impuissance ! Car rien ne lui faisait plus horreur que l'idée d'être amoureuse de Brent Wakefield !

Brent Wakefield était-il seulement capable d'aimer ?

Les larmes coulaient sur ses joues. Elle frissonnait et pourtant elle sentait son corps brûlant de fièvre. Son cœur battait à tout rompre comme un animal prisonnier luttant contre ses chaînes !

Elle se laissa envahir par une enivrante sensation de vertige. Elle sombrait dans un abîme...

Le corps en sueur, elle s'assit sur son lit et alluma la lampe. Elle, qui ne fumait que rarement, chercha fébrilement un vieux paquet de cigarettes dans le tiroir de sa table de chevet.

Elle alluma une cigarette et inspira une bouffée profondément. Elle se sentait encore plus mal, et le goût était amer dans sa bouche, mais elle persista. Plus rien ne pouvait l'arracher à son désespoir.

C'était donc cela, l'amour ? Cette tension douloureuse, cette rage, ce désir de hurler ? Ce sentiment de vulnérabilité, de fragilité ?

Qu'étaient devenus sa joie de vivre ? ses rires ? ses plaisirs ?

Comment pouvait-elle oublier que la passion de

Brent Wakefield était réservée à la superbe Nathalie Wyatt, rayonnante et triomphante ?

Nathalie Wyatt ne se dérobait jamais devant rien. Elle avait de la passion à revendre ! Mais est-ce que cela avait un rapport avec l'amour ?

L'apparition de Todd Robinson, le lendemain matin, eut un effet extraordinairement rassérénant sur Monica.

Il était étranger aux mesquineries des galeries, et il était d'agréable compagnie.

Il avait une boîte d'outils à la main et sourit devant l'expression de surprise qu'il lut sur le visage de Monica.

— J'ai pensé que cela nous serait assez utile quand nous descendrons dans votre cave, fit-il en entrant dans le salon.

— Rose vous a donc parlé ? demanda Monica en refermant la porte.

— Oui, elle m'a tout raconté. Cela ne vous ennuie pas, j'espère ? demanda-t-il en s'asseyant sur le canapé, et en étendant ses jambes.

Il était habillé d'un jean, d'une chemise sport, et chaussé de tennis.

— J'espère que Rose ne vous a pas trop tourmenté avec cette histoire ! dit, avec gêne, Monica en arrangeant un tableau au mur pour se donner une contenance. Je ne veux pas que vous soyez impliqué...

— Moi, je veux l'être, affirma-t-il en lui faisant signe de s'asseoir près de lui. Venez ici, une minute ; vous me paraissez bien nerveuse !

Docilement, elle prit place près de lui sur le canapé. Il lui sourit et lui caressa les joues doucement.

— Vous n'aviez pas ces cernes sous les yeux, la der-

nière fois que je vous ai vue. Je veux vous aider,
Monica.

Malgré elle, ses yeux s'emplirent de larmes.

Il l'entoura de son bras et la serra affectueusement
contre lui sans parler. Elle se sentait horriblement
embarrassée : elle était furieuse que Rose eût impliqué
Todd dans cette histoire.

Finalement, elle se maîtrisa et, après s'être légèrement écartée, elle recouvra le sourire, malgré le tremblement imperceptible qui agitait ses lèvres.

— Je préférerais vous tenir à l'écart de tout cela,
Todd.

Il se leva et jeta un coup d'œil dans la pièce. Il exami-
nait le décor : les photos du père de Monica, de ses amis
restés en Angleterre, une boîte à musique en bois satiné
des Indes, une cage à oiseaux de l'époque victorienne,
dans laquelle Monica avait mis des fleurs séchées.

— Rose est inquiète pour vous, Monica, dit Todd
sans se retourner. Vous savez, une jeune femme toute
seule, dans un pays étranger...

— Je suis assez grande, lâcha Monica un peu sèchement.

Il la regarda, avec un sourire en coin.

— Détendez-vous, je vous en prie ! Je suis un ami.
Je ne mets pas en doute votre capacité de décider de
votre vie, mais nous pouvons tous vous venir en aide, de
temps en temps.

— Je finis simplement par penser que nous nous fai-
sons une montagne de pas grand-chose, répliqua
Monica.

« Mais croyait-elle vraiment à ce qu'elle disait ? »

Todd revint s'asseoir près d'elle et lui prit les mains.
Il semblait très sérieux, déterminé.

— Vous avez donc été enfermée dans la cave...

— Dans la galerie souterraine, rectifia-t-elle.

— Bien. Ce n'est pas simplement le vent qui a

refermé la porte et ce n'est pas simplement le vent qui vous a attirée dans ce piège. Et nous ne croyons plus aux fantômes ! Alors, quelle solution reste-t-il ? Quelqu'un a voulu se débarrasser de vous pendant quelques heures, pour des raisons qui, maintenant, sont éclaircies : pour vous discréditer aux yeux de votre patron. Qui y aurait intérêt, Monica ?

— Ecoutez, Todd...

— Nathalie Wyatt n'aurait pas eu la force de le faire toute seule, mais d'après ce que je sais, elle a ses hommes de main. Et ils recommenceraient s'il le fallait.

Monica soupira en regardant le sol.

— Il ne coûte rien de jeter un coup d'œil.

— Qu'espérez-vous trouver ?

Il haussa les épaules.

— Je n'en sais rien, peut-être rien du tout. Mais, il se peut très bien que le responsable ait été imprudent et ait oublié quelque indice derrière lui... un mégot de cigarette ou... enfin, n'importe quoi. Je vais descendre.

Comme elle sourcillait, il ajouta :

— Vous n'avez pas à m'accompagner, si cela vous ennuie.

Monica éprouva un certain soulagement. Elle s'était bien promis de ne plus redescendre dans cette cave. Mais elle fut presque aussitôt envahie d'un sentiment de honte.

— Je vous accompagne, dit-elle, la gorge serrée.

Il lui fallut, pour cela, un gros effort de volonté. Elle tenait la lampe de poche, tandis que Todd forçait la porte qu'il finit par ouvrir. Dès que la galerie se découvrit à leurs yeux, Monica sentit resurgir sa terreur, une bouffée d'air moisi la fit suffoquer.

« Je ne pourrai pas avancer », pensa-t-elle, épouvantée. Mais Todd l'entraînait déjà, en tenant la lampe de poche qu'il lui prit des mains.

Serrant les dents, elle le suivit. Il marchait lentement, précautionneusement, balayant les murs de la lumière de la lampe. Le sol était humide : il devint rapidement glissant et boueux.

Ils descendaient, probablement vers la plage : la galerie se rétrécissait. Ils arrivèrent à un embranchement : une des deux galeries se dirigeait vers le bâtiment principal, mais Todd prit celle qui descendait vers la plage.

La lumière de sa lampe capta quelque chose de blanc et cireux : un petit tas d'ossements. Monica poussa un hurlement.

Todd sourit en se retournant :

— Des rats, expliqua-t-il, sa voix se répercutant étrangement à travers les tunnels.

Monica montra autre chose, d'une main tremblante.

— Il y a quelque chose d'autre...

Todd retourna l'objet du bout du pied : des lambeaux de veste pourris, venus d'un autre siècle.

— Un peu démodé, n'est-ce pas ? fit-il en riant et sans cesser d'avancer.

Maintenant, la pente était devenue raide, et il y avait çà et là des flaques d'eau noire. Ils aperçurent devant eux la porte qui menait à la caverne de la plage. De l'eau sablonneuse, amenée par la marée, envahissait le sol, et ils trouvèrent enfin ce qu'ils cherchaient : plusieurs traces de pas dans le sable humide !

Elles étaient trop grandes pour être celles d'une femme.

Todd poussa un cri de triomphe et fit signe à Monica de ne pas avancer.

— Surtout n'avancez pas ! Nous devons laisser intactes ces précieuses preuves, tant que je n'aurai pas pris une photo ou deux...

Il posa sa boîte à outils et lui tendit la lampe de poche. De la boîte, il sortit un appareil photographique

« Polaroïd ». Il prit des photos sous divers angles, ainsi que les mesures des pas qu'il inscrivit sur un carnet.

Monica l'observait en silence. Maintenant, c'était réel. Jusque-là, elle avait eu l'impression qu'ils jouaient un jeu, comme des enfants : une version adulte des gendarmes et des voleurs.

— Parfait ! s'écria Todd, ravi. C'est tout ce que nous pouvons faire pour l'instant. Et nous n'avons pas brouillé les traces. La police sera satisfaite.

— La... la police ? balbutia Monica.

Todd était à genoux, rentrant l'appareil dans la boîte. Il reprit la lampe et remonta, avec Monica, au fond de la galerie, vers le pavillon.

Une fois de retour, ils firent un brin de toilette, et Monica prépara du café. Todd étala les photos sur la table, et ils les examinèrent en silence, pendant un moment.

— Ainsi donc, Nathalie a, parmi ses amis, un monsieur obligeant..., reprit Todd, qu'il ne devrait pas être trop difficile de repérer avec ces mesures.

» Je pense qu'il est temps de mettre ces photos entre les mains de la police.

— Nous n'avons encore aucune certitude qu'il s'agit bien de Nathalie et d'un ami à elle..., avança timidement Monica sans regarder Todd.

— Mais qui voulez-vous que ce soit ? demanda Todd, avec indignation. Qui d'autre a intérêt à vous opposer à votre patron ?

Il se tut un moment et ajouta :

— Nathalie Wyatt vous considère comme une menace.

Monica gardait la tête penchée sur sa tasse.

— Elle considère toute femme au-dessous de cinquante ans comme une menace !

Todd éclata de rire.

— Et vous plus que toute autre, semble-t-il. A-t-elle

des raisons de vous craindre ? ajouta-t-il plus doucement.

— Que voulez-vous dire ?

Il glissa un doigt sous le menton de Monica et la
força à le regarder.

— Est-ce que vous êtes amoureuse de lui, Monica ?

Elle eut les joues en feu. Sa première impulsion était
de mentir, de lui dire que cela la concernait seule. Mais
elle avait tellement menti jusqu'ici, surtout à elle-même,
et Todd s'était montré trop gentil pour mériter une
réponse mensongère. Le jour était enfin venu de regarder la réalité en face, avec un regard d'adulte...

— Je le crois, oui, avoua-t-elle dans un murmure.
Je... je ne sais pas...

Il parut un instant chagriné, mais il se reprit et
sourit.

— Vous le savez, au contraire.

— Je... je suis désolée, Todd.

— Pourquoi vous excusez-vous ? Soyez heureuse !

— Je ne suis pas heureuse !

Elle sentait ses larmes prêtes à couler, et elle aurait
voulu les retenir.

Il lui saisit une main et la serra :

— Nous restons amis ?

Elle s'approcha de lui et déposa un baiser sur sa
joue.

— Oui, Todd.

— Je vous téléphonerai bientôt. Un de ces jours,
nous ferons de la voile, mais pas aujourd'hui.

Il ramassa les photos et il arracha les feuilles du carnet où il avait noté les mesures des empreintes. Il posa
le tout sur les genoux de Monica.

— Vous déciderez vous-même de ce qu'il faut faire
de ces preuves.

Il ramassa ses affaires et sortit.

CHAPITRE XV

Pendant toute l'heure qui suivit le départ de Todd, Monica erra dans le pavillon, sans but : elle aurait voulu, avant tout, oublier cette histoire. Faire comme si rien n'était arrivé. Mais Todd avait raison. Elle ne pouvait se le permettre. Celui qui l'avait enfermée dans le tunnel pouvait toujours recommencer.

Pourtant, Monica hésitait à se rendre à la police. Le domaine appartenait aux Wakefield. La courtoisie exigeait qu'elle leur fît part de ses intentions.

Elle attendit dix-sept heures, heure à laquelle Mme Wakefield prenait son thé sur la terrasse. Chargée des photos et des mesures des pas, Monica prit son courage à deux mains et traversa la pelouse.

Madame Wakefield fut heureuse de la voir et fit apporter aussitôt une seconde tasse de thé.

— Je pensais que vous deviez sortir avec le neveu de Rose Cardiff.

— Vous connaissez Todd ? demanda Monica en posant les photos sur la table.

Madama Wakefield hocha la tête.

— C'est un garçon adorable ! Il y a quelques années, nous avons organisé un pique-nique pour le personnel de la galerie. Rose avait amené Todd et sa sœur aînée, Amy. Ce sont des enfants très sympathiques... J'ai été désolée d'apprendre qu'Amy avait perdu son mari dans un accident de voiture, il y a deux ans, et je...

Mais elle s'interrompit en découvrant les photos sur la table.

— Qu'est-ce que cela ? demanda la vieille dame en levant les yeux vers Monica.

D'une voix haletante, Monica se lança dans des explications. Mais elle ne prononça pas une seule fois le nom de Nathalie Wyatt. Elle se contenta de décrire objectivement les événements.

Quand elle eut terminé, son hôtesse semblait éberluée.

— Mais enfin, pourquoi ne pas me l'avoir dit plus tôt ? Brent aurait...

— J'ai essayé de parler à Brent hier, mais il ne m'a pas laissé terminer...

— Comment cela ? Mais c'est... incroyable ! Mais pourquoi ?

— Quand j'ai disparu, il a simplement cru que je lui faisais faux bond pour le dîner avec monsieur Clemson.

Madame Wakefield la regardait avec effarement, puis elle poussa un soupir.

— Oui... je comprends ce qu'il a pu imaginer, étant donné les circonstances, mais...

— J'ai l'intention de déposer une plainte, annonça Monica, calmement mais fermement. J'espère que vous n'avez aucune objection ?

— Aucune, bien entenu. Vous auriez dû y aller dès hier. Ma pauvre petite ! dit Mme Wakefield en lui tapotant la main, les yeux empreints de sympathie. Quelle affreuse histoire ! Vous avez dû être terrifiée !

Monica sourit tristement.

— J'avoue que j'ai passé un mauvais moment... Je finissais par me demander si je reverrais jamais la lumière du jour...

— Un rôdeur sans doute..., fit Mme Wakefield, comme si elle pensait à voix haute. (Elle frissonna.) Je me demande bien ce qu'il cherchait. Rien ne manque, j'espère ?

Monica secoua la tête.

— Mais que voulait-il alors ? Je ne comprends pas.

— Je pense qu'il voulait seulement se débarrasser de moi pendant quelques heures, répliqua Monica prudemment.

Madame Wakefield semblait stupéfaite.

— Mais pourquoi donc ? Quel sens cela a-t-il ?

— Je n'en sais rien.

Madame Wakefield eut un geste d'impatience.

— Si je comprends bien, c'était un mauvais tour qu'on voulait vous jouer, pour vous effrayer !

— Le résultat, précisa Monica, fut de m'empêcher de dîner avec Brent et monsieur Clemson.

Il y eut un moment de silence pesant.

— Vous pensez que..., commença Mme Wakefield, soudain interrompue par l'arrivée de la servante.

— Excusez-moi, madame, mais votre bain est prêt, et les invités doivent arriver dans une heure.

— Flûte ! lâcha Mme Wakefield. Je suis désolée de devoir vous quitter, ajouta-t-elle, mais je vous demande de ne rien faire tant que je n'ai pas parlé avec Brent à ce sujet. Il était à Boston pour la journée, mais il devrait être de retour vers neuf heures, ce soir. Nous vous ferons signe demain matin.

Monica regagna son pavillon. Elle se prépara un sandwich et mangea dans le salon en regardant les actualités à la télévision. Elle était convaincue d'avoir eu raison de s'être confiée à Mme Wakefield, et le lendemain matin, après avoir parlé à Brent, elle irait à la police.

Mais, comment Brent réagirait-il ?

Elle éprouvait un malin plaisir à imaginer sa tête, quand les policiers lui demanderaient : « Mais enfin, monsieur Wakefield, pourquoi n'êtes-vous pas venu plus tôt ? »

Mais ce fut une satisfaction de courte durée : elle se sentait nerveuse, tourmentée. Si seulement elle pouvait oublier l'air méprisant de Brent quand il lui avait dit : « Où étiez-vous cachée, espèce de gamine ? » Pourquoi fallait-il qu'elle s'en souvînt ?

Pourquoi se préoccupait-elle de ce qu'il pensait d'elle ? Lui avait d'autres centres d'intérêt que cette gamine de Monica Nelson ! et c'était Nathalie Wyatt qui occupait ses pensées. Nathalie avait tout ce qu'il pouvait exiger : la beauté, le charme, et le travail les associait.

Brent n'accepterait pas qu'on soupçonnât celle dont il voulait faire sa femme ! Il serait prêt à combattre pour défendre son image. Il en voudrait à Monica d'avoir essayé de la ternir.

Plus elle y pensait, plus elle était convaincue que Brent essaierait de la dissuader d'aller à la police, dans la crainte du scandale qui risquait de retomber sur la femme qu'il aimait.

Monica gardait les yeux fixés sur sa tasse de café refroidi : que devait-elle faire ? Si Nathalie était innocente, elle n'aurait rien à craindre, mais si elle était coupable... « Après tout, pensa Monica, j'ai le droit de me défendre ! »

Elle était recroquevillée sur le canapé, en train de regarder une émission à la télévision, quand elle entendit frapper à la porte.

Elle se leva et demanda, d'une voix nerveuse :

— Qui est-ce ?

— C'est moi, Brent. Je voudrais vous parler.

Monica était prise au dépourvu : elle était dans un déshabillé à fleurs, et ses pieds étaient nus. Elle avait les cheveux défaits et s'était démaquillée.

Elle enleva le verrou et, en ouvrant, prit une contenance distante :

— Je ne pensais pas vous voir avant demain matin, dit-elle en le regardant.

Sa présence provoquait toujours un étrange émoi : près de lui, elle se sentait faible, démunie. Elle admira son ensemble blanc et bleu marine, et sa chemise bleu pâle qui mettait en valeur son teint hâlé.

— Je suis rentré plus tôt, expliqua-t-il, en remarquant la touche personnelle que Monica avait mise dans la décoration intérieure.

Puis ses yeux se posèrent sur Monica.

— Le négligé vous convient très bien.

— Vous vouliez me parler ? insista-t-elle, sans se laisser charmer.

— Vous ne me demandez même pas de m'asseoir ? Je pensais les Anglaises plus courtoises...

Monica lui indiqua le canapé.

— Je vous en prie, prenez place.

— Mais pas pour longtemps, si je comprends bien ? railla-t-il, un sourcil en l'air.

— Ecoutez, Brent...

— Ce n'est pas la peine, coupa-t-il. Je suis venu m'excuser et vous laisser vous expliquer.

— Voulez-vous une tasse de thé ?

Il fit une grimace.

— C'est une habitude que je n'ai jamais pu prendre... Par contre, je prendrais volontiers du café.

Elle hocha la tête et se dirigea vers la cuisine. A sa grande surprise, il l'y suivit. Il paraissait gigantesque dans ce minuscule espace. Il prit appui, avec naturel, sur le rebord de la table en l'observant.

Ce regard pesait sur elle et rendait ses gestes maladroits tandis qu'elle s'affairait.

Elle plaça les tasses sur un plateau et allait l'apporter dans le salon, mais il le lui prit et le posa lui-même sur la table basse du salon. Il s'assit sur le canapé près d'elle, si près qu'elle sentait le léger parfum de son eau de toilette.

Sa main tremblait tandis qu'elle le servait.

— Lait et sucre ?

— Nature, répondit-il suavement.

Elle évita son regard et se servit à son tour. Elle sentit la nervosité la gagner.

— Est-ce que vous voulez bien m'expliquer ? demanda-t-il doucement. J'aimerais voir les photos également.

Elle alla les chercher et les posa sur la table. Brent les examina attentivement et demanda soudain :

— Est-ce que vous avez une lampe de poche ?

— Il y en a une dans la cuisine. Pourquoi ?

— J'aimerais jeter un coup d'œil dans la cave.

— Maintenant ? demanda-t-elle, en regardant le pantalon blanc de Brent. Dans cette tenue ?

— Donnez-moi votre lampe de poche, s'il vous plaît.

Elle l'accompagna dans le vestibule et le vit disparaître dans la cave. Il resta assez longtemps en bas. Quand il revint, Monica était en train de faire la vaisselle. Elle se retourna et ne put s'empêcher de sourire en apercevant des toiles d'araignée dans ses cheveux et sur son pantalon maculé de saleté.

— Eh bien, qu'avez-vous trouvé dans la cave ?

— La même chose que vous : des empreintes de pas. Je suis content que Todd Robinson ait eu l'idée de prendre ces photos. La marée a un peu recouvert les traces, mais elles sont toujours là.

— Alors, vous me croyez maintenant ?

Il s'avança vers elle et lui prit les mains.

— Oui, je vous crois, Monica...

Elle leva les yeux vers les siens, le cœur battant.

— Je suis... je suis vraiment désolé, ajouta-t-il sincèrement.

Oubliant sa précédente colère, elle répliqua :

— Je suppose que mon histoire était un peu dure à croire, étant donné les circonstances.

Mais il secoua la tête.

— Je suis impardonnable. J'aurais dû au moins vous laisser parler. Vous avez dû vivre un véritable enfer, cette nuit-là !

Il avança la main pour lui caresser la joue.

— Vous avez été très courageuse de le supporter aussi bien.

Elle rit, en s'écartant légèrement, car ce contact la troublait trop.

— En effet ! Votre mère semble penser qu'il s'agit d'un rôdeur.

— Et vous, que pensez-vous ?

— Je... je ne sais pas, mentit-elle, dans la crainte d'altérer l'atmosphère de détente. C'est une chose étrange, à bien y penser. On ne m'a pas fait de mal... je veux dire physiquement... on n'a rien volé. C'est bizarre...

Elle leva les yeux vers lui et fut surprise de découvrir qu'il souriait.

— Je ne trouve pas cela drôle ! protesta-t-elle.

— Vous ne pensez pas qu'il s'agisse d'un rôdeur, avouez-le ! Ni moi, d'ailleurs.

Elle retint son souffle.

— Eh bien, pourquoi ne me demandez-vous pas ce que je pense ? insista-t-il. Vous avez eu parfaitement raison, ajouta-t-il comme elle ne répondait pas, en disant à ma mère que quelqu'un devait essayer de vous empêcher de dîner avec moi. Et je pense savoir qui est cette personne. Et vous aussi !

— Pourquoi ne le dites-vous pas ? demanda-t-elle, pour le mettre à l'épreuve, à son tour, sans se trahir. A moins que vous n'ayez peur que la belle déesse n'exerce sa vengeance sur vous, et que tous vos rêves s'effondrent...

— Mes rêves ? demanda-t-il, avec étonnement. Pouvez-vous me dire de quels rêves il s'agit, puisque vous semblez si bien informée ?

— Nathalie Wyatt ! lâcha-t-elle enfin.

— Nathalie Wyatt ? fit-il, abasourdi. Et si nous parlions de vos rêves, à vous ? Est-ce Tom Lindquist ? A moins qu'il n'ait échoué et cédé la place à Todd ? Pauvre Lindquist ! Cela sera un terrible choc de découvrir que sa petite protégée a trouvé un autre chevalier servant...

— Cela ne vous regarde en rien ! Et je suis désolée, Brent, mais je compte me rendre à la police. Même s'il doit vous en coûter, je n'ai nullement l'intention de rester à la merci des manigances de votre belle amie...

Il secoua la tête avec un sourire.

— Reste le problème des preuves. Les traces dans le sable ne risquent guère d'impliquer Nathalie. Ses pieds, autant qu'il m'en souvienne, sont fins et petits...

— Très amusant, fit remarquer Monica. Mais Nathalie a des complices, trop heureux de faire pour elle la basse besogne. C'est inutile, Brent : vous ne pouvez pas la protéger. Je vais tout remettre entre les mains de la police.

— S'il le faut, faites-le. Mais la police ne pourra rien faire d'autre que de partir en quête d'un fantomatique rôdeur. Et vous ne pouvez même pas présenter Nathalie comme un suspect : elle vous poursuivrait pour diffamation.

— Incroyable !

— Ecoutez-moi, Monica, fit-il, en la saisissant par les épaules et en l'attirant vers lui. Je suis aussi impatient que vous de voir cette affaire réglée. Si vous me laissez ces photos, je peux faire moi-même ma propre enquête, discrètement. A la différence de la police, je sais de quel côté me diriger.

Elle eut un rire cynique, en essayant de se dégager.

— Vous voulez que je vous donne les photos... parce

que vous êtes amoureux de Nathalie Wyatt et que vous feriez n'importe quoi pour la protéger !

— Taisez-vous, Monica ! Vous ne savez pas de quoi vous parlez. Comme toujours, vous vous précipitez, les yeux fermés, comme un enfant. Que savez-vous de l'amour ?

L'intensité farouche du regard de Brent l'effraya soudain. Son cœur battait à tout rompre.

— Vous auriez encore beaucoup à apprendre, me semble-t-il.

— Brent ! supplia-t-elle. Je vous en prie...

Mais il ne lui laissa pas le temps de parler et plaqua ses lèvres brûlantes contre les siennes. Il l'embrassa passionnément, en la serrant violemment contre lui.

Cette étreinte emporta Monica qui faiblit entre les bras de Brent. Mais, dans un dernier sursaut, elle se dégagea et lui échappa. Il se contenta alors de croiser les bras, en ricanant.

— Vous êtes adorable !

— Et vous, vous êtes un...

— Retournons à nos moutons, coupa-t-il. Donnez-moi ces photos !

— Il n'en est pas question ! rétorqua Monica, en s'agrippant au dossier d'une chaise. Je ne vous fais pas confiance, monsieur Wakefield !

— Mais vous ne comprenez donc pas ? fit-il, en frappant du point sur la table. J'essaie de vous aider !

— Je n'ai pas besoin de votre aide, je vous remercie. Maintenant, je vous prie de me laisser seule.

— Parfait, conclut Brent, en soupirant. Faites-en à votre aise. Cela a toujours été votre règle, n'est-ce pas, chère Monica ? J'espère que Tom, Todd ou je ne sais qui, auront plus de chance que moi. Ils en ont besoin !

Il se dirigea vers la porte et sortit.

Monica s'assit sur une chaise, désemparée. Ses tempes bourdonnaient encore...

Personne ne l'avait jamais mise dans cet état
d'attente et de désir. Ni dans cette colère ! Mais elle
n'avait pas confiance en lui ! Il n'avait pas nié son attachement à Nathalie. Si seulement il s'en était défendu,
avec quel bonheur, elle aurait mis cette affaire entre ses
mains !

Devait-elle lui accorder le bénéfice du doute ? Elle
ressassa cette question, la nuit durant.

CHAPITRE XVI

Le lendemain matin, Monica emporta les photos à la galerie. Brent avait raison. Qu'est-ce que la police pouvait faire d'aussi faibles indices ? A bien y songer, elle s'était montrée trop soupçonneuse à l'égard de Brent, et c'est dans un désir de réconciliation qu'elle entra dans la galerie.

Mais quand il l'aperçut, Brent se contenta d'un signe de tête. Sa froideur l'ulcéra, mais elle se dit qu'elle la méritait. Elle préféra l'éviter pour le moment et attendre une occasion plus propice pour lui parler. Mais à midi, Rose lui apprit que Brent devait partir à la fin de l'après-midi pour un bref voyage d'affaires.

Avant de partir, Brent passa la tête dans l'entrebâillement de la porte de la galerie et déclara :

— N'oubliez pas de faire expédier les pièces de Spode à Santa Barbara, chez monsieur Merriweather. C'est le plus important de nos collectionneurs privés. Il est pointilleux : faites bien les paquets. Il faut que tout parte demain soir.

Monica acquiesça, et il disparut sans rien ajouter.

Elle était en train de prendre le café avec Paul Gauthier et quand Brent eut disparu, Paul déclara :

— Plutôt sec, non ?

— Je suppose qu'il est pressé, dit Monica en rougissant. Il a un avion à prendre.

Au fond de la pièce, le garçon de salle, Glen, était en

train de rassembler les cartons vides et des papiers pour les apporter dans la zone des poubelles, derrière le bâtiment.

Paul but une gorgée de café et soupira.

— On se détend un peu après la visite de Clemson.

— Il faut en profiter, dit Monica. Car dès que les commandes vont arriver, il ne faudra plus perdre une seconde.

— C'est un drôle de bonhomme, ce Clemson, n'est-ce pas ? Une espèce de vieux matou de province. Mais il est malin et il sait enjôler les gens. En tout cas, vous avez eu la cote avec lui...

Monica haussa les épaules.

— C'est simplement qu'il a passé quelque temps en Angleterre pendant la Seconde Guerre mondiale et qu'il était heureux d'en parler avec moi.

Elle se demandait pourquoi Gauthier manifestait à nouveau autant de cordialité. Est-ce qu'il essayait de lui soutirer des informations ? Elle n'avait aucune confiance en lui et attendait avec impatience qu'il eût terminé sa tasse de café et s'en allât. Le ton mielleux de Paul la rendait nerveuse.

Elle voulut prendre une cigarette dans son sac, mais la table était si encombrée qu'elle fit tomber à terre le sac qui s'ouvrit : tout le contenu fut soudain étalé sur le sol.

Les photos répandues s'offraient ainsi au moindre regard !

Monica s'agenouilla aussitôt pour tout remettre précipitamment dans le sac. Mais l'une des photos avait glissé sous le bureau. Et avant qu'elle eût pu l'empêcher, Glen s'était baissé et avait ramassé la photo.

Pendant un instant, il regarda la photo d'un air égaré, la bouche entrouverte. Monica s'empressa de la lui prendre et de la ranger dans son sac.

— Merci, Glen, fit-elle.

Il hocha la tête, lui jeta un étrange regard et s'éloigna de son pas lourd.

Elle se rendit compte qu'elle rougissait en s'asseyant près de Paul. Elle se demandait s'il avait remarqué les photos. Mais il ne fit aucun commentaire.

Ils bavardèrent de leur travail pendant quelques minutes encore et, grâce à Dieu, Paul finit son café et se retira.

Monica alla dans l'entrepôt, au sous-sol pour prendre les pièces de Spode pour M. Merriweather, qui collectionnait les objets les plus anciens, sans se préoccuper de leur prix. Quand elle revint dans sa galerie, elle dut s'occuper d'un client jusqu'à l'heure de la fermeture. Monica se dirigeait vers le parking où sa voiture était garée, quand, cherchant ses clés, elle se rendit compte que les photos avaient disparu ! C'est à ce moment-là que Tom Linquist fit son apparition : il était revenu en fin d'après-midi, de son voyage en Europe. Monica l'invita pour dîner dans son pavillon. Elle avait tant de choses à lui raconter !

Mais Tom rapportait des nouvelles, lui aussi. Il avait rencontré, par hasard, une ancienne amie à Paris, Loïs Geoffrey ; il ne l'avait pas vue depuis douze ans. Elle avait rendu son séjour très agréable.

Tom semblait en grande forme, était-ce la joie d'avoir revu Loïs Geoffrey ?

— Loïs et moi, nous avons commencé à nous intéresser aux antiquités en même temps, expliqua Tom. Mais au bout d'un an ou deux, elle s'est mariée et elle s'est installée en Californie. Le mariage n'a pas été une réussite, et elle a accepté une offre lui proposant de tenir une petite boutique à Paris. Elle y vit depuis. Mais, maintenant, elle a un peu la nostalgie de l'Amérique et elle pense revenir.

— Elle ne s'est donc pas remariée ?

— Ce n'est certainement pas les occasions qui ont

manqué, affirma Tom en secouant la tête : Loïs est très séduisante ! Je pense qu'elle te plaira.

Monica sourit, heureuse pour lui.

— J'en suis certaine.

— Eh bien, dit-il, qu'as-tu fait depuis mon départ ? Est-ce que tu vas m'expliquer ces cernes sous tes yeux, et ce teint pâle ?

— Les choses ont été plutôt difficiles, Tom, confia Monica en soupirant.

Elle lui fit un récit complet des événements : la visite de Clemson, le dîner manqué, l'emprisonnement dans le souterrain. Elle expliqua la disparition des photographies, après son refus de les confier à Brent.

— J'ai tout gâché, murmura-t-elle tristement. Je crains bien de ne pas avoir été à la hauteur de ta confiance, Tom...

Il lui saisit la main.

— Tu dis que Robinson a pris les mesures de ces empreintes ? Est-ce que tu les as encore ?

— Oui.

— Elles peuvent nous être très utiles. Quand Brent reviendra de son voyage, donne-les-lui, et tu verras ce qu'il pourra en faire.

— Je crains bien d'avoir usé la patience de Brent à mon égard. Quand il apprendra que les photos ont disparu, il sera absolument hors de lui et me traitera, une nouvelle fois de gamine !... Oh ! Tom !...

Sur ces derniers mots, Monica éclata en sanglots.

Tom entoura, de son bras, les épaules de la jeune fille.

— Toi et Brent..., commença-t-il.

— Je suis amoureuse de lui, Tom, avoua-t-elle. C'est pourquoi c'est si dur pour moi.

— Je m'en doutais, répliqua-t-il, avec un soupir. J'y ai beaucoup réfléchi, tous ces derniers temps. J'ai tou-

jours pensé que vous aviez beaucoup de choses en com-
mun et que vous vous entendriez à merveille...

Elle le regarda, les joues baignées de larmes.

— Mais ce n'est pas le cas, Tom ! Nous nous heur-
tons à chaque rencontre ! Et puis... tu oublies cette
Nathalie !

Il lui essuya les joues, en souriant.

— La première chose à faire est de prouver à Brent
que tu as confiance en lui, Monica. Fais-le ! dès qu'il
reviendra.

— J'essaierai, si ce n'est pas trop tard...

CHAPITRE XVII

Heureusement, le lendemain, Monica eut beaucoup à faire : elle resta dans sa galerie, le soir, plus tard que tout le monde, pour finir les paquets destinés à M. Merriweather.

Paul Gauthier était également retenu : il attendait d'importants clients pour le lendemain, en provenance du sud, et il prenait le soin d'arranger de vieux meubles, pour les mettre en valeur dans la galerie.

Vers dix-huit heures trente, Monica avait enfin terminé les paquets et les apporta dans la salle du courrier, pour qu'ils fussent expédiés le lendemain. En passant devant la porte de la galerie de Paul, elle entendit un coup sourd, suivi de quelques exclamations vives prononcées en français.

Elle passa la tête dans l'entrebâillement de la porte et aperçut Paul considérant avec désarroi un grand désordre par terre.

Il s'était mis à nettoyer les meubles, en utilisant un mélange de pierre ponce en poudre et d'huile qu'un objet avait dû renverser : le sol était couvert d'une fine couche de poudre, et les meubles avaient été éclaboussés d'huile.

— Est-ce que je peux vous aider ? demanda gentiment Monica.

— J'avais tout fini, j'allais partir, quand c'est

arrivé, expliqua-t-il avec force gestes. Et j'ai un dîner dans une demi-heure !

— Eh bien, allez-y ! je vais nettoyer tout cela pour vous.

Il sembla quelque peu surpris par cette proposition, mais il sourit.

— Vous êtes vraiment trop gentille : êtes-vous sûre que cela ne vous dérange pas trop ?

— Pas du tout ! rétorqua Monica.

Quand il fut parti, Monica prit des chiffons et un peu d'eau dans le lavabo. Elle revint dans la galerie de Paul et se mit à nettoyer les dégâts. Il avait laissé des traces de pas dans la poudre de pierre ponce ; et soudain une idée germa...

Le bâtiment était silencieux : tout le personnel était parti. Monica se précipita dans sa galerie où elle prit un centimètre, un carnet et un stylo.

Le cœur battant, elle mesura les traces de Paul : elle les comparerait avec celles qu'avait mesurées Todd Robinson dans le souterrain ! Elle inscrivit les mesures d'une main tremblante.

Tout à coup, elle sursauta en entendant des pas derrière elle. Elle se retourna brusquement et aperçut Paul Gauthier ! il l'observait en plissant les yeux, un sourire narquois sur les lèvres.

— C'est ce que vous appelez m'aider ! ricana-t-il, en s'avançant d'un air menaçant. Je me demandais aussi ce qui vous poussait à me rendre service. J'ai pensé qu'il valait mieux jeter un coup d'œil...

Comme il approchait, Monica se redressa et s'appuya contre le mur.

— Ainsi donc, vous voulez m'apporter des ennuis... Ne croyez pas que ce soit aussi facile, petite vipère !

Il lui arracha le carnet des mains.

— Est-ce que vous n'avez pas encore compris qu'il fallait retourner en Angleterre avant que vous n'ayez à vous en repentir ? Est-ce que vous ne comprenez pas que vous gênez tout le monde ici ?

Sans un mot, Monica le contourna, se dirigea vers la porte et sortit. Dès qu'elle fut dans le couloir, elle se précipita vers le parking, laissant Gauthier seul dans l'immeuble.

Cette nuit-là, Monica dormit très mal, en proie à de nombreux cauchemars. Ainsi elle n'était pas aimée, voire haïe par le personnel de *Wakefield et Wyatt*, elle gênait !... Gauthier avait raison : peut-être valait-il mieux disparaître sans éclat ?

Mais elle le ferait quand elle le déciderait elle-même, et non sous la menace ! Et Brent, que penserait-il de tout cela quand elle le lui raconterait ?

Elle n'avait aucun doute sur la personne qui poussait Paul à agir ainsi : Nathalie Wyatt !

Ils étaient très amis, et Rose lui avait dit que c'était grâce à Nathalie que Paul avait été embauché. Elle l'avait amené au cap, elle-même.

La crainte de Monica se transforma en colère : elle ne s'éclipserait pas simplement pour satisfaire les projets de Nathalie ! C'était Brent qui l'avait engagée, et c'était à lui seul qu'elle avait des comptes à rendre !

Brent ne reviendrait pas avant la fin de la semaine. Quand elle arriva au bureau, ce vendredi matin, Monica ne le vit pas tout de suite. Et vers onze heures, la secrétaire de Brent vint prévenir Monica qu'il voulait s'entretenir avec elle dans son bureau.

Dès qu'elle l'aperçut, Monica comprit qu'il était furieux : il avait les joues en feu sous son hâle, et ses yeux étincelaient de colère.

— Je viens de recevoir un coup de téléphone de monsieur Merriweather, à Santa Barbara ! hurla-t-il. Il a ouvert les paquets que vous avez expédiés : ce n'est pas du tout ce qu'il a commandé ! vociféra-t-il en frappant

du poing. Et la facture ne correspond pas à ces pièces.
Pouvez-vous me donner une explication ?

Monica était éberluée.

— Mais... mais j'ai empaqueté les pièces qu'il a
demandées ! balbutia-t-elle.

— Eh bien, vous avez commis une erreur ! Une
erreur qui nous coûte très cher ! Merriweather est absolument furieux et a décidé de ne plus nous confier de
commandes.

Monica secouait la tête, hébétée, ne sachant quoi
penser.

— Il n'y a eu aucune erreur, Brent, murmura-t-elle.
Je sais parfaitement ce que j'ai envoyé et... j'ai vraiment envoyé les pièces anciennes de Spode.

Il eut un sourire amer.

— Vraiment ? Alors comment expliquez-vous ce qui
s'est produit ?

Elle ne put répondre.

— Non seulement nous avons perdu notre meilleur
collectionneur privé, mais nous allons perdre la clientèle
de ses amis, ce qui est considérable !

Il se leva brutalement, contourna le bureau, saisit
son bras avec violence. Il l'entraîna dans l'entrepôt et la
mit devant des étagères. Devant les yeux stupéfaits de
Monica étaient disposées les pièces qu'elle avait empaquetées, elle-même !

— Mais enfin, murmura-t-elle, entre ses dents, c'est
impossible !

— Impossible, n'est-ce pas ? dit-il en lui mettant une
assiette sous le nez. Alors, comment expliquez-vous
ceci ?

— Je ne peux rien expliquer, dit-elle. Mais ce sont
les pièces que j'ai empaquetées.

Elle montra toute la collection, d'un doigt tremblant,
les yeux emplis de larmes.

— Je suis certaine de l'avoir fait ! insista-t-elle.

Mais c'était en pure perte : il ne la croirait pas !

Ils revinrent dans le bureau de Brent. Ce dernier s'assit, en passant une main sur son visage. Il avait l'air épuisé, terriblement las.

— J'ai essayé d'être patient, Monica, dit-il d'une voix lasse. Je pouvais comprendre votre maladresse, pour le vase. Je vous ai accordé le bénéfice du doute, pour l'ensemble de Wedgwood trouvé dans le carton des poubelles... Mais pour cela !...

— Je comprends et... je suis absolument désolée, fit-elle. Et pour ne pas entendre les paroles que Brent prononcerait, elle ajouta : je démissionne.

Il la considéra avec calme.

— Ce que j'allais vous proposer, c'est de rentrer chez vous et de revenir demain matin. Entretemps, j'aurai pu réfléchir à tout cela : je vais essayer de démêler ce rébus ! Je dois aller à Hartford, aujourd'hui. Je devrais être parti ! Je serai de retour demain matin. En tout cas, rentrez chez vous, et nous nous reverrons demain pour reparler de tout cela.

Elle acquiesça, trop bouleversée pour répondre. Elle fit volte-face et sortit précipitamment du bureau. Peu après, elle le vit sortir du bâtiment.

Elle avait les yeux pleins de larmes, tandis qu'elle prenait ses affaires personnelles. Brent ne l'avait pas vraiment renvoyée, mais elle était convaincue qu'il allait le faire. Le lendemain, elle ne le verrait que par formalité.

Ses pensées se bousculaient dans sa tête : qu'est-ce qui avait bien pu se produire ? Une seule réponse s'imposait : quelqu'un était passé après elle, dans le bureau du courrier !

Mais quelle différence cela pouvait-il faire désormais ? Ils avaient perdu la clientèle de Merriweather et probablement de ses amis. Il ne fallait pas s'étonner que Brent fût dans tous ses états.

En soupirant, Monica s'essuya les yeux et se dirigea vers la porte, avec ses affaires. Elle tomba sur Paul Gauthier dans le couloir. Il se rendit compte que son visage était décomposé.

— Quelque chose ne va pas ? demanda-t-il avec douceur.

Monica n'avait aucune envie de parler avec quiconque, et surtout pas avec Paul Gauthier ! Elle secoua la tête sans rien dire et se dirigea vers l'extrémité du couloir.

Paul la suivit.

— Ecoutez, Monica, si je puis vous aider, j'en serai heureux. Je suis désolé de m'être montré si... eh bien, si discourtois avec vous l'autre soir...

Elle le considéra, agacée par ses grimaces d'hypocrite. Elle secoua la tête en souriant amèrement.

— Non, Paul, vous ne pouvez plus rien faire. Je quitte mon travail.

Elle poussa la porte du couloir et disparut, le laissant immobile à l'entrée. Quelques secondes plus tard, elle se retourna et vit qu'il s'était précipité sur un téléphone.

Il n'était pas nécessaire de demander à qui il téléphonait. Il n'était pas difficile d'imaginer la réaction à l'autre bout du fil. Finalement, Nathalie Wyatt avait gagné !

CHAPITRE XVIII

Cela lui faisait une étrange impression de se retrouver chez elle en plein milieu de la journée. Pendant un instant, Monica erra dans le pavillon. Elle se rendit compte à quel point elle s'était attachée à ce lieu.

Elle essaya de réfléchir à l'endroit où elle pourrait se rendre maintenant... Peut-être retournerait-elle en Angleterre, à moins qu'elle ne trouvât un autre emploi aux Etats-Unis... Mais étant donné les circonstances, obtiendrait-elle un certificat de Brent ?

Elle avait la gorge nouée et ne put s'empêcher de verser des larmes en pensant à la manière dont elle avait déjoué ses espoirs.

Incapable de rester en place, Monica descendit se promener sur la plage. Elle s'assit sur un rocher et admira la surface tranquille, scintillante de la mer, en essayant de se représenter son avenir. Mais d'autres images s'imposèrent à elle : celle de l'après-midi où elle avait nagé toute seule dans l'Océan et avait découvert Brent en train de l'épier, pour l'étreindre enfin dans ses bras. Elle avait eu, alors, la sensation qu'il lui était aussi attaché qu'elle l'était à lui... Mais n'était-ce pas simplement son imagination ?

Peut-être... Mais elle n'avait pas imaginé sa récente visite dans son pavillon et ses gestes passionnés. Elle ne l'oublierait jamais !

Quand elle l'avait accusé d'être amoureux de Nathalie, il s'était mis en colère et avait répliqué : « Vous ne savez pas de quoi vous parlez ! » Voulait-il dire qu'il n'était pas amoureux de Nathalie ? Cette pensée la faisait souffrir terriblement. Elle avait tellement besoin de le croire ! Elle aurait tellement voulu être près de lui, qu'elle en souffrait même physiquement.

Mais il se pouvait bien que dès le surlendemain il appartînt au passé... Elle aurait pu le supporter, si elle s'était montrée aussi négligente qu'on l'en accusait... Mais c'était faux ! Qu'est-ce qui avait provoqué cette confusion à propos du paquet de Merriweather ?

Elle essaya de bien réfléchir : elle avait fait les paquets avec le plus grand soin, elle avait apporté le tout elle-même dans le bureau du courrier. En revenant, elle avait entendu le bruit de chute dans la galerie de Paul et elle l'avait vu désemparé devant les dégâts provoqués. Elle lui avait proposé de l'aider à tout nettoyer et peu après il faisait semblant de s'en aller...

La colère la reprit, tandis qu'elle repensait à la manière dont il l'avait traitée. Il n'y était pas allé par quatre chemins, pour lui faire comprendre comment il voulait, ou plutôt Nathalie désirait, se débarrasser d'elle. Et il était resté dans l'immeuble après son départ. Se pouvait-il qu'il fût descendu dans le bureau du courrier et qu'il eût fait la substitution ?

Cela semblait inimaginable ! Est-ce qu'il aurait risqué son emploi, rien que pour plaire à Nathalie Wyatt ? Est-ce que Nathalie allait risquer de perdre un client de cette importance pour se débarrasser d'elle ?

Monica passa une main tremblante dans ses cheveux : non, Nathalie ne reculerait devant rien, pour préserver Brent !

Mais sans preuve, plutôt que de convaincre Brent, elle se discréditerait encore plus auprès de lui ! Nathalie nierait tout, et Brent serait terriblement embarrassé.

C'était pourtant pour Monica la seule solution envisageable.

Elle se mit à marcher sur la grève, jusqu'à épuisement.

Quand elle rentra dans la propriété, elle rencontra Mme Wakefield, en vêtement de jardinière, en train de couper des fleurs.

— Que faites-vous si tôt à la maison ? demanda Mme Wakefield, avec étonnement. Vous n'êtes pas malade, dites-moi ? Vous semblez complètement abattue.

— Non... je... je suis simplement rentrée plus tôt, balbutia Monica.

— Eh bien, dit Mme Wakefield en posant une main sur le bras de Monica, dans ces conditions, vous allez déjeuner avec moi, sur la terrasse... à moins que vous n'ayez projeté autre chose ?

Monica secoua la tête. Elle doutait d'être capable d'avaler quoi que ce fût, mais elle ne voulait pas paraître impolie. La mère de Brent s'était toujours montrée d'une extrême gentillesse avec elle, et Monica l'aimait beaucoup. En dépit de sa richesse et de sa situation sociale, Sara Wakefield se sentait souvent très seule. Brent était trop occupé pour lui tenir compagnie.

Pendant le repas, elles parlèrent de choses et d'autres. Monica essayait de bien participer à la conversation : mais le cœur n'y était pas. Elle se contentait de grignoter et manquait d'entrain. Manifestement, Mme Wakefield était déconcertée :

— Je ne veux pas me montrer indiscrète, mon enfant, mais vous paraissez un peu déprimée aujourd'hui...

Monica ne put s'empêcher d'avoir un tremblement aux lèvres. Elle essaya de le cacher, mais Mme Wakefield s'en était rendu compte.

— Il y a quelque chose qui ne va pas, n'est-ce pas ?

demanda Mme Wakefield, en posant une main sur celle de Monica. Il y a eu un problème à la galerie ?

Monica sentit ses larmes poindre au bord des paupières. Il lui était impossible de nier. Mme Wakefield l'apprendrait tôt ou tard.

— Je... je pense que j'ai été renvoyée, murmurat-elle. C'est la raison pour laquelle je suis rentrée plus tôt aujourd'hui.

— Comment ? s'écria Mme Wakefield. Brent disait encore, il y a quelques jours, qu'il était ravi de votre travail !

— Eh bien, il a changé d'avis !

— Mais enfin, pourquoi s'il vous plaît ? ajouta Mme Wakefield avec fermeté, dites-moi tout. Je vous aime beaucoup, Monica. J'ai toujours voulu une fille, mais, eh bien, il en a été autrement... Mais si j'avais eu une fille, j'aurais aimé qu'elle vous ressemblât.

Très émue, Monica pressa la main de la vieille dame. Elle ne put réprimer le désir de se confier à elle, sentant en elle une immense réceptivité et une grande sincérité.

— Est-ce que le travail à la galerie vous plaît, Monica ? demanda enfin Mme Wakefield quand Monica eut terminé.

— Beaucoup, répondit Monica.

— Quel sentiment avez-vous à l'égard de mon fils ? La question, très directe, la prit au dépourvu.

— Il s'est montré... toujours très... compréhensif.

Sara Wakefield eut un petit sourire.

— Ce n'est pas à cela que je pensais, Monica... Brent a ses défauts, mais je le sais très honnête... Je vous posais une question... plus personnelle.

— J'aime beaucoup Brent, commença avec gêne Monica, en jouant avec sa cuillère.

— S'agit-il d'amitié ou d'amour ?

Comme Monica se taisait, Mme Wakefield poussa un soupir.

— Vous l'aimez, n'est-ce pas ? Je m'en suis rendu compte tout de suite, à votre manière de le regarder... Mais j'ai perçu une tension entre vous.

— Oui, j'aime Brent ! reconnut soudain Monica, avec un tremblement dans la voix, mais à quoi cela sert-il, puisqu'il est amoureux de Nathalie Wyatt ?

— Je ne serais pas aussi affirmative que vous, répondit Mme Wakefield en levant les sourcils. J'espère que ce n'est pas vrai, poursuivit-elle, car Nathalie n'est pas du tout la femme qui lui convient...

Elle tapota, sur la table, du bout des doigts.

— Une femme perçoit très clairement la vraie nature de Nathalie, poursuivit-elle. Parfois les hommes sont moins perspicaces... surtout quand une femme est aussi séduisante qu'elle. Mais j'ai confiance dans le jugement de Brent. Je ne pense pas qu'il agisse inconsidérément.

— Peut-être parce que vous n'êtes pas d'accord, simplement, avec ce choix, dit Monica, en souriant faiblement.

— Peut-être, mais je crois mon fils suffisamment intelligent...

— Elle l'est aussi. Tout le monde estime que...

— Oui, les racontars vont bon train ! répliqua Mme Wakefield, en s'emportant. Mais cela ne veut rien dire. Ils sont souvent ensemble à cause de leur travail et comme ils sont libres tous les deux, ils sortent ensemble, mais c'est à l'instigation de Nathalie.

— Vous ne me trahirez pas auprès de Brent ? demanda Monica, avec inquiétude. Je préférerais...

— Vous n'avez rien à craindre. Je garderai votre secret. Mais que comptez-vous faire ?

— Que pourrais-je faire ? Brent est dégoûté de moi à cause de cette affaire de Merriweather et... et d'autres incidents. Je ne vois vraiment pas...

— Mais enfin, c'est absurde, ma petite ! coupa Mme Wakefield. Vous n'avez aucun tort ! Je vous crois

totalement quand vous me dites que vous avez envoyé,
à Merriweather, ce qu'il avait commandé. Vous n'avez
nullement besoin de vous sentir toujours sur la défen-
sive. Il faut contre-attaquer, Monica ! Allez à la galerie
demain et parlez ouvertement à Brent. Il ira directement au bureau en revenant de Hartford. Essayez de le
voir dès son retour.

Monica ne répondit pas.

— Vous m'avez tout de suite frappée, poursuivit
Mme Wakefield, par votre intelligence et votre détermination. Votre intégrité professionnelle ne peut pas être
mise en doute. Je pense que cela vaut la peine de lutter
pour la défendre, non ?

Avec un petit sourire, Monica hocha la tête :
« Qu'est-ce que Brent aurait dit s'il avait surpris cette
conversation ? »

Elles échangèrent un regard et se sourirent.

— Je ne permettrai pas que vous restiez dans cet
état pendant toute la journée. Nous allons sortir ensemble, tōutes les deux ce soir, et nous irons au spectacle.
Qu'est-ce que vous en dites ?

Monica reprenait courage.

— C'est une excellente idée !

CHAPITRE XIX

En s'habillant le lendemain, Monica se sentait très nerveuse. Elle décida d'aller au bureau un peu plus tard, quand tout le monde serait déjà plongé dans son travail, pour éviter les questions indiscrètes.

Elle choisit une robe de soie verte, simple, mais bien coupée qui mettait en valeur sa silhouette élancée. Elle relâcha ses cheveux auburn dans le dos. Elle se maquilla discrètement, avec une ombre légère sur les paupières et un peu de mascara sur ses cils. Après avoir chaussé des sandales à lanières étroites, elle se mira avec un œil critique.

Le spectacle qui s'offrit à elle, dans le miroir, aurait dû lui donner du courage. Si seulement elle n'avait pas cet air triste... Elle essaya de se sourire, le cœur serré et sans conviction.

La veille, en la quittant, Mme Wakefield lui avait dit : « Entrez dans la galerie d'un pas conquérant, sûre de vous ! »

Monica lui avait promis de faire un effort, mais la confiance lui manquait terriblement. Est-ce que Brent accepterait de la laisser parler ? Peut-être lui annoncerait-il qu'il la licenciait sans même lui laisser le temps d'ouvrir la bouche.

Que ferait-elle alors ? Devrait-elle insister ? Ou se contenterait-elle d'accepter le verdict sans sourciller ?

Non, jamais ! Elle n'avait aucune raison d'être culpabilisée ! Elle essaierait de se défendre. Et si elle devait partir, ce serait la tête haute.

Elle arriva dans la galerie vers onze heures. Elle se dirigea directement vers le bureau de Brent sans rencontrer personne. Elle essaya de prendre une contenance tranquille, mais elle tremblait intérieurement.

La gorge nouée, elle hésita un moment avant de frapper à la porte. Il y eut un moment de silence, et la voix grave de Brent répondit enfin :

— Entrez !

Monica tourna la poignée et pénétra dans la pièce.

Brent était assis à son bureau. Nathalie, qui tournait le dos à la porte, était debout près de la fenêtre. Quand elle entendit la porte s'ouvrir, Nathalie se retourna, surprise visiblement de voir apparaître Monica.

— Que faites-vous ici ? demanda Nathalie. Je pensais...

Mais elle s'interrompit brusquement en se mordant les lèvres ! Brent la regardait, stupéfait et soupçonneux.

— Et pourquoi Monica ne devrait-elle pas être ici, Nathalie ? demanda-t-il.

La jeune femme rougit. Elle eut un geste d'impatience.

— J'avais entendu dire que... je pensais...

— Oui ? insista Brent. Qu'avais-tu entendu dire ?

Mais Monica répondit pour elle.

— Paul Gauthier m'a vue partir hier matin. Il a pensé que j'avais été licenciée.

Elle lança à Nathalie un regard chargé de mépris, à la pensée de ses manigances d'intrigante pour la rayer de la vie de Brent.

— Paul vous a téléphoné, n'est-ce pas, Nathalie ? Alors évidemment vous ne pensiez pas me voir réapparaître aujourd'hui...

— Est-ce vrai ? demanda Brent, avec une inquié-

tante placidité. Réponds, Nathalie ! lança-t-il avec agacement.

Les yeux verts de Nathalie jetaient des éclairs de
fureur.

— Comment oses-tu prendre ce ton avec moi ? Je
n'ai pas à subir d'interrogatoire, sous prétexte que
cette... petite arriviste...

— C'est toi qui utilises ce mot ? ironisa Brent.
Enfin, quoi qu'il en soit, je ne vois pas ce qui a pu te
faire penser que Monica avait pu être licenciée. Pourquoi aurais-je dû la renvoyer ? insista-t-il, comme
Nathalie restait muette.

— Tu le sais parfaitement ! répliqua sèchement
Nathalie. Mais tu n'as pas jugé bon de te confier à moi...

— C'était donc la raison de ta visite impromptue : tu
venais aux renseignements pour t'assurer que Monica
avait bien disparu.

Nathalie se contenta d'un regard plein de morgue.

— Enfin, pourrais-tu m'expliquer ce qui t'a conduite
à estimer que j'avais renvoyé Monica ?

Monica était presque tentée d'avoir pitié de Nathalie
Wyatt. Ainsi prise au piège, tout autre femme aurait
cédé. Mais c'était sans compter sur le tempérament obs-
tiné de Nathalie. Une vie d'intrigues l'avait armée.

— Je n'ai pas la moindre idée de ce dont tu parles,
Brent, mais tu sais ce que je pense de cette fille...

— En effet, répliqua-t-il avec un petit sourire.

— Je ne veux plus la voir dans nos bureaux ! Il n'est
pas question de garder une employée qui casse nos pièces de collection et nous fait perdre nos meilleurs
clients !

— Excuse-moi, mais tu vas m'éclairer, Nathalie : je
ne vois aucun client que Monica nous ait fait perdre. De
qui parles-tu ?

— Je n'ai pas de compte à te rendre ! lâcha, outragée, Nathalie. Je pense que tu oublies que je suis ton

associée. J'ai mon mot à dire sur le choix de nos employées. Je ne permettrai pas qu'on garde quelqu'un qui a aussi nettement prouvé son incapacité !

— J'attends toujours le nom des clients que nous avons perdus, répéta calmement Brent.

Comme elle ne répondait pas, Brent appuya sur l'interphone.

— Peut-être que Gauthier pourra t'aider à répondre ?

Il demanda à sa secrétaire de faire venir Paul Gauthier. Nathalie tourna le dos et s'approcha de la fenêtre. Dans l'attente de Gauthier, Monica se sentait terriblement gênée. Son regard croisa celui de Brent où, avec surprise, elle découvrit un éclair de triomphe.

On frappa à la porte.

Gauthier fut manifestement très étonné devant cette assemblée, et particulièrement par la présence de Monica.

Nathalie ne s'était toujours pas retournée, comme si elle voulait ignorer la raison de cet entretien. C'était un geste de provocation : elle se sentait au-dessus de tout cela.

Mais ce retrait désemparait Gauthier, qui, de toute évidence, réclamait l'aide de Nathalie.

— Il paraît que vous avez appelé Nathalie hier matin pour lui annoncer que Monica avait été licenciée ?

— C'est-à-dire que..., bégaya Gauthier, le regard fuyant.

— Qu'est-ce qui a pu vous le faire penser, Paul ?

Gauthier eut un geste de gêne, en regardant tout autour de lui.

— Répondez-moi ! ordonna Brent.

Paul eut un petit rire embarrassé et aigu.

— A cause des derniers incidents, de Merriweather...

— Merriweather ? répéta Brent. Mais, qui vous a parlé de cela Paul ? En tout cas, ce n'est pas moi !

— Idiot ! lâcha Nathalie, depuis la fenêtre.

— Il était dans la galerie, le soir où j'ai fait les paquets pour Merriweather, expliqua Monica. Nous étions les seuls dans l'immeuble. Et Paul était toujours là quand je suis partie...

— Qu'est-ce que vous racontez ? protesta Gauthier, désespéré comme un animal traqué. Je vous avertis, Monica, je ne me laisserai pas accuser d'avoir commis quelque chose que je n'ai pas fait...

— Je ne vous ai accusé de rien, Paul, dit doucement Monica, avec un regard glacé, à la pensée du mal que cet homme lui avait fait. Je parle simplement de ce qui s'est passé ce soir-là, ce soir où vous m'avez menacée. Vous vous souvenez ?

— « Menacée » ?

Monica acquiesça et raconta toute l'histoire. Paul gardait les yeux fixés au plafond.

Quand Monica eut terminé, Gauthier commença à rire et secoua la tête.

— Je n'ai jamais rien entendu d'aussi ridicule dans ma vie, dit-il. Mais pourquoi vous aurais-je menacée ?

— Si ma mémoire ne me trompe pas, vous m'avez dit que je vous gênais, et que tout le monde serait soulagé par mon départ.

— Au nom de quoi, vous êtes-vous permis une telle déclaration ? demanda Brent. Vous feriez bien de répondre, Gauthier, parce que ma patience est à bout. Si vous ne me répondez pas, peut-être la police aura-t-elle plus de chance de vous faire parler. Mais je vais vous dire une chose : à moins que vous ne puissiez vous disculper, vous ne travaillerez plus pour moi ! Allons, parlez !

Paul marmonna quelque chose en français et, avec un soupir, regarda le dos de Nathalie, près de la fenêtre. Tant que Nathalie pouvait lui promettre quelque chose, il était de son côté. Maintenant qu'elle se dérobait, il était prêt à la trahir.

— Parfait ! fit-il, avec un geste des mains. Vous connaissez la vérité, de toute évidence. Oui, c'est moi qui ai changé le contenu du paquet de Merriweather. Personnellement, ajouta-t-il d'un ton mielleux, je n'avais rien contre Monica, c'est Nathalie qui...

— Continuez ! ordonna Brent.

— Du calme, Paul ! intervint Nathalie en se retournant. Vous en avez déjà trop dit. N'oubliez pas que je suis associée dans cette affaire et j'ai le droit d'exiger le départ de cette fille !

Dans un silence absolu, Brent se leva et considéra son associée avec dédain.

— Je suis désolé, Nathalie, mais je n'obtempérerai pas. Il y a quelque chose dont je veux vous entretenir depuis longtemps : je veux dissoudre notre association.

La surprise la rendit muette tout d'abord.

— A cause d'elle ? s'écria-t-elle soudain, en montrant du doigt Monica, comme si elle faisait partie du mobilier.

— Non, Monica n'a rien à voir avec ma décision. J'y pense depuis bien longtemps, bien avant l'arrivée de Monica. Il n'y a pas d'association qui tienne sans confiance. Je suis désolé, Nathalie, mais j'ai rendez-vous avec mes avocats ce matin.

— Brent, supplia Nathalie, éperdue ; mais il est ridicule de se conduire ainsi...

— Il est inutile d'insister, Nathalie, dit-il calmement. J'en ai assez !

— J'aimerais bien savoir ce que tu serais devenu, dit Nathalie, en abandonnant sa douceur hypocrite, si tu n'avais pas derrière toi tout l'argent de Wyatt. Tu serais dans la misère où je t'ai ramassé !

— Je ne crois pas avoir jamais été un miséreux,

Nathalie, répondit Brent en riant. Et je crois que je m'en sortirai sans toi.

Elle le fixa avec fureur et sortit de la pièce, entraînant à sa suite Gauthier.

Brent le rappela tandis qu'il fermait la porte.

— Emportez vos affaires personnelles, Gauthier. A dix-sept heures, je ne veux plus vous voir !

Tandis que leurs pas s'éloignaient, Monica resta figée, abasourdie par les paroles qu'elle venait d'entendre. Brent était là, à côté d'elle, et Monica n'osait lever les yeux sur lui. « Voulait-il vraiment, depuis longtemps, rompre son association avec Nathalie ? Ou bien avait-elle réussi à lui ouvrir les yeux sur la véritable nature de cette femme ? A tête reposée, ne risquait-il pas de regretter son geste ? » pensa-t-elle en regardant par la fenêtre. Le silence était pesant, et Monica se demanda si elle devait sortir ou rester là dans ce bureau.

Elle fut sauvée par la sonnerie du téléphone.

— Nous parlerons plus tard, dit Brent. Retournez dans votre galerie et reprenez votre travail, comme si de rien n'était.

La journée fut très longue, très pénible pour Monica. Elle entendait Gauthier jurer en prenant ses affaires personnelles dans la galerie voisine. Tout le personnel soupçonnait un bouleversement, sans oser poser de questions. Les regards curieux de ses collègues mettaient Monica mal à l'aise.

Quand le soir fut venu, Monica fut soulagée de retrouver dans son pavillon : jamais, elle ne l'a trouvé aussi accueillant ! Cependant, elle se sentait nerveuse... et pourtant elle n'avait lieu que de se réjouir de la bonne tournure qu'avaient pris les événements : la véritable coupable avait été démasquée, elle pouvait continuer à travailler à la galerie, et surtout, elle était maintenant certaine que Brent n'aimait pas Nathalie.

Après cette journée d'émotions, elle décida de se

ser aller, et s'enfonça dans un fauteuil devant la télévision. Elle somnolait quand elle entendit des coups frappés à la porte.

Elle pensa que ce devait être Tom, de retour de New York où il avait assisté à une vente aux enchères. Elle se précipita pour ouvrir.

Devant elle, se trouvait Brent, souriant, un paquet à la main !

— Vous dormiez ? demanda-t-il en lui prenant le menton dans la main.

— Je somnolais, en effet, répondit-elle, en souriant.

— Eh bien, réveillez-vous ! parce que nous avons quelque chose à fêter ensemble.

— Fêter ? répéta-t-elle, ahurie.

— Champagne ! s'écria-t-il, en ouvrant le paquet sur la table. Apportez-nous vite deux coupes.

Brent Wakefield paraissait très détendu, une joie certaine se lisait sur son visage décontracté. Ses yeux brillaient d'une étrange malice...

Tandis qu'il remplissait les coupes, Monica eut l'impression d'être dépassée par les événements.

— Qu'est-ce que nous fêtons ? demanda-t-elle, en prenant la coupe pétillante qu'il lui tendait.

— Eh bien, l'heureux éclaircissement des mystères qui ont gâché ces derniers mois à la galerie. La fin d'une ère et le début d'une autre ! Et nous, Monica, ajouta-t-il, d'une voix douce.

Le cœur de Monica battit la chamade. Que lui arrivait-il ? Serait-il possible que... ?

— Venez... murmura Brent, en l'attirant dans ses bras.

Monica n'offrit aucune résistance, trop heureuse de laisser enfin parler son cœur.

Elle ferma les yeux et se blottit contre la poitrine de Brent. Elle savoura cet instant avant de poser la question qui lui brûlait les lèvres depuis si longtemps :

— Brent, est-ce que vous avez jamais aimé Nathalie ?

— Jamais ! dit-il, en prenant le petit visage de Monica entre ses mains puissantes et tanées. Nathalie faisait simplement partie de mon héritage...

— Mais les gens disaient...

— Peu m'importe ce qu'ils disaient. L'essentiel était pour moi de remettre l'affaire sur pied. Nathalie était... agréable... et elle était un peu perdue après la mort de Henry. Nous avons pris l'habitude de sortir ensemble, mais c'est tout.

Il déposa un baiser sur le front de Monica.

— Je n'avais pas l'intention de maintenir cette association. L'incident d'aujourd'hui a simplement un peu hâté ma décision. En fait, ma chérie, je suis extraordinairement soulagé.

— J'étais si inquiète, avoua-t-elle.

— Ne le soyez plus ! Tout va marcher à merveille. Faites-moi confiance.

— J'ai confiance en vous, Brent, fit-elle, les yeux brillant de larmes. Et... je... je suis désolée d'avoir été aussi têtue. J'avais simplement peur que Nathalie et vous...

— Nathalie Wyatt n'est rien pour moi.

— Je suis tellement heureuse, Brent ! J'avais tellement peur de tout gâcher pour vous.

— Ne dites pas de bêtises Monica chérie, dit-il en l'attirant plus près de lui. Vous avez métamorphosé ma vie, et si vous le permettez, j'essaierai d'embellir la vôtre... Laissez-moi vous prouver à quel point je vous aime, Monica.

Elle leva vers lui un regard ardent qui rencontra la flamme de ses yeux.

— Oh Brent ! si vous saviez depuis quand j'espérais ces paroles de vous... Depuis quand je vous aime, moi aussi !

Leurs lèvres s'unirent dans un baiser passionné, plein de désir et de promesses.

— Mariez-vous vite avec moi ! murmura-t-il dans son oreille, en l'enlaçant tendrement. Vous avez appris que je n'étais pas très patient... et j'ai déjà trop attendu ! Beaucoup trop !

— Je ne vous ferai plus attendre, mon chéri, murmura Monica, le visage enfoui dans la poitrine de Brent.

Quelques heures plus tard, tenant d'une main la bouteille qui contenait un reste de champagne et de l'autre celle de la jeune femme qui deviendrait son épouse, Brent entraînait Monica, à travers la pelouse baignée de rosée, jusqu'à *Seacliff*, pour annoncer à sa mère la bonne nouvelle.

FIN

Ce mois-ci, vous lirez dans nos collections :

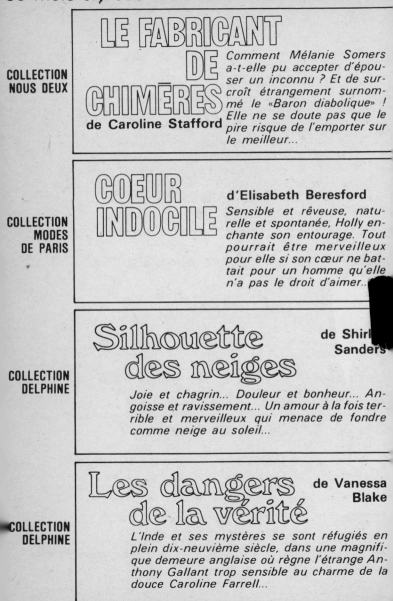

COLLECTION NOUS DEUX

LE FABRICANT DE CHIMÈRES
de Caroline Stafford

Comment Mélanie Somers a-t-elle pu accepter d'épouser un inconnu ? Et de surcroît étrangement surnommé le «Baron diabolique» ! Elle ne se doute pas que le pire risque de l'emporter sur le meilleur...

COLLECTION MODES DE PARIS

COEUR INDOCILE
d'Elisabeth Beresford

Sensible et rêveuse, naturelle et spontanée, Holly enchante son entourage. Tout pourrait être merveilleux pour elle si son cœur ne battait pour un homme qu'elle n'a pas le droit d'aimer...

COLLECTION DELPHINE

Silhouette des neiges
de Shirl Sanders

Joie et chagrin... Douleur et bonheur... Angoisse et ravissement... Un amour à la fois terrible et merveilleux qui menace de fondre comme neige au soleil...

COLLECTION DELPHINE

Les dangers de la vérité
de Vanessa Blake

L'Inde et ses mystères se sont réfugiés en plein dix-neuvième siècle, dans une magnifique demeure anglaise où règne l'étrange Anthony Gallant trop sensible au charme de la douce Caroline Farrell...

Achevé d'imprimer
le 13 septembre 1982
sur les presses
de l'imprimerie Cino del Duca,
18, rue de Folin, à Biarritz.
N° 256.

Dépôt légal n° 432.   Septembre 1982.